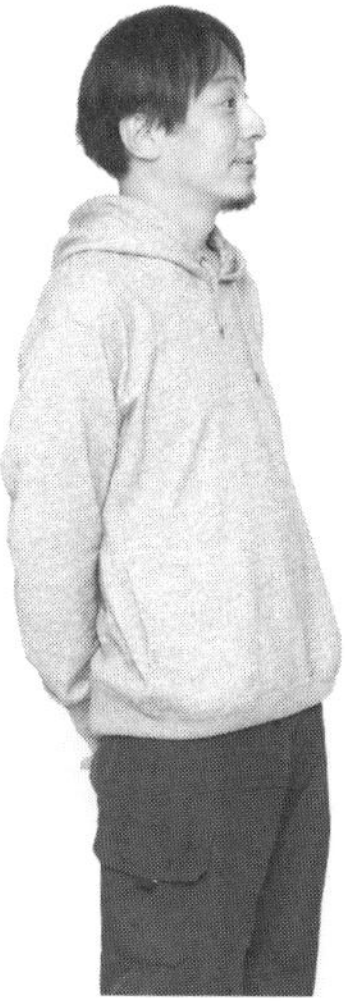
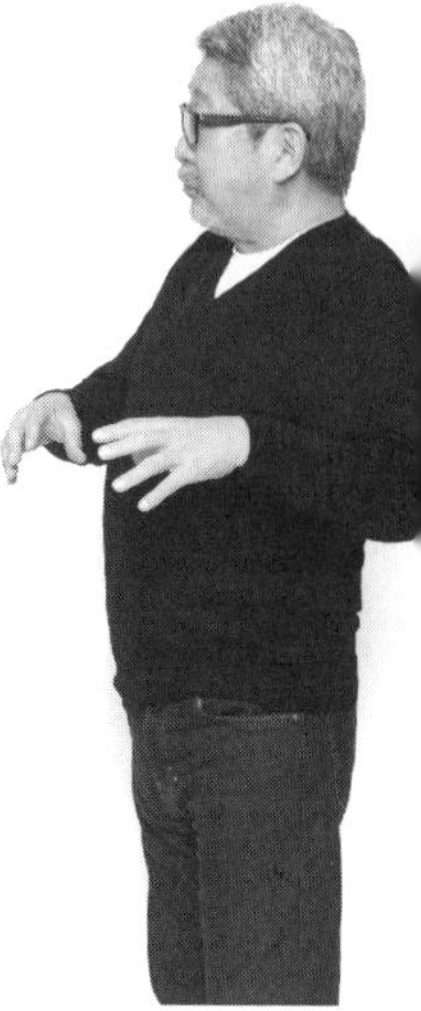

考えて生きる

合理性と好奇心を併せもつ

ひろゆき
【西村博之】

成毛 眞

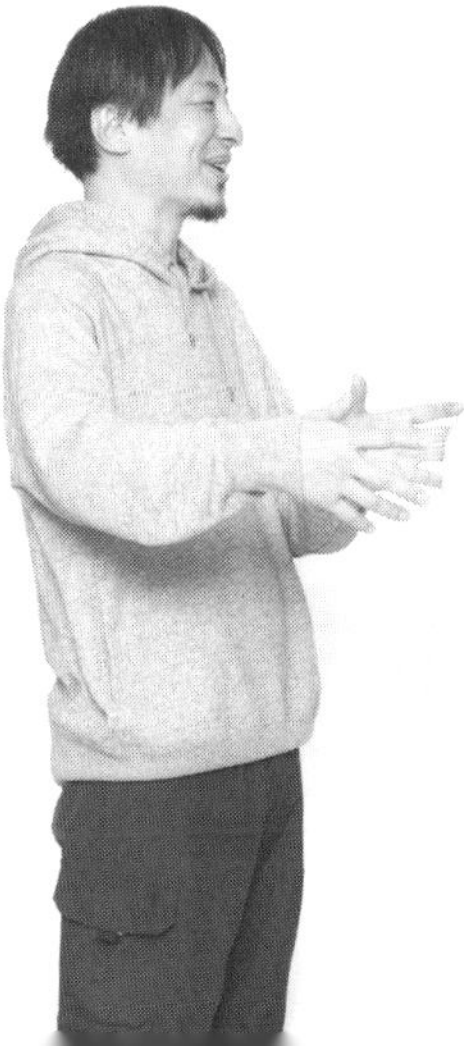

集英社

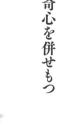

―「まえがき」にかえて―
30代、40代、50代のときにやっておくべきことは？

ビジネスマンとして成功した成毛眞さんは、よくこの質問をされるそう。
しかし「大事なこと」はそこではない、と言う。

ひろゆき（以下、ひろ） 「何歳のときにやっておくべきことは？」みたいな質問ってあるじゃないですか。成毛さんみたいに成功したビジネスマンの人だとよく聞かれませんか？

成毛眞（以下、成毛） よく質問されますね。でも、聞かれても困るんですよ。状況がひとりひとり違うので、一概に「こうしろ！」とは言えないんです。無理に言っても外すだけだし、ウソは言いたくないし。

ひろ ってことは、成毛さん自身は「40代ではこうしよう。50代では」と考えたことはないと。

成毛　ないですね。年齢によって目標を決めるのは大嫌いです。

ひろ　自分の年齢よりもそのときの状況に合わせて動いたほうがうまくいきやすいですからね。年齢を軸にして目標を決めると、身動きが取りづらくなる。

成毛　大事なことは「トレンドに乗れ」ということ。ＡＫＢ48でもＮｉｚｉＵでもいい。はやりものには全部乗っかるべきです。

ひろ　人の情報感度って「はやりものにはついていけない」と諦めた瞬間からガタ落ちすると思うんですよ。

成毛　そう。はやりものの9割以上は2、3年以内になくなります。でも、そのなかでいくつかは50年ぐらい持つものもある。だから、細かくトレンドを追っていないと、社会を変えてしまうような大きなはやりものが来たときについていけないんですよ。

ひろ　インターネットなんてまさにそうですよね。

成毛　すぐ廃れるのか、社会を変えてしまうものなのか、それははやっている最中はわからない。現在のようなインターネットのポテンシャルに何十年も前から完璧に気づいていた人なんてほとんどいないでしょう。結局、そういうのに気がつくのはミーハーで、はやりものにはなんでも手を出しているタイプなんですよ。

ひろ　ってことで、今のビジネスマンにアドバイスするとしたら「はやりものはとりあえずチェックする」ですね。

成毛　せいぜいそんなものかな。あと最近よく言っているのは「金を使うな」です。ほら、30歳くらいの若いサラリーマンが「経験が大事だ！」とか言って、銀座で高級なすしを食べたりするじゃないですか（笑）。

ひろ　確かに（笑）。若いうちに自分に投資していろいろな経験をするっていうのは基本的には正しいんですけど、それを勘違いしてバカみたいな浪費をする人って意外と多いですよね。

成毛　「浪費するくらいならお金をためたほうがいいよ」と僕は思います。本当は投資するのが一番いいんですけどど。

ひろ　目の前にチャンスがあったとき、それに乗っかれるだけのお金があることが大事ですよね。お金があると自由度が広がって、選択を間違えないで済む。例えば、頭のいい友達がいて、そいつから「アメリカで起業しようと思うんだ」と言われたときに「え、おもしろそうだから俺も行く！」と言えるかどうか。それって当面の生活資金の有無が判断基準になったりするじゃないですか。せっかくのチャンスなのに「貯金がないし、今の仕事は辞められない」と諦めてしまうのはもったいない。

成毛　だから、ある程度のお金は持ってないとダメですね。で、お金をためる近道は浪費をしないこと。つまり、つまんないことに金を使うなと。当たり前ですけど。

ひろ　んで、それは30代だけに限った話ではないっすよね。

成毛　40代も浪費をしてはダメですね。今だと50代にも「浪費はするな」とアドバイスするかもしれない。今は寿命が延びて90歳くらいまで平気で生きる可能性があるじゃないですか。すると、老後資金2000万円問題どころの話ではなくなる。

ひろ　人生って楽しむためにあるのに、「貯金が尽きるまでに死ななきゃいけない」というマインドになるのはいやっすね。

成毛　本当にそう。お金を使わないという意味では、最近は洋服にこだわらなくなりました。今、僕が着ているTシャツは、1枚798円。ネット番組に出演するときは、この上にユニクロのセーターを着るだけですよ（笑）。

ひろ　僕も服にこだわりはないですね。てか、実力と成果のある人は、何を着てても評価されるじゃないですか。実力と成果のない人が服でごまかそうとしがちなイメージがあります。

成毛　良い例がアップルの創業者スティーブ・ジョブズですよね。いつも同じ服装だったじゃないですか。あの黒いハイネックは80ドル（９０００円）くらいでしたけど、彼からしたらはした金ですよね。

ひろ　あと、服を選ばないってことは、人生にとって有意義だと思います。「人間が一日に選択のために費やせるエネルギーの量は限られている」っていう説があるんですよ。ルーティン化すれば、毎日服を選ぶ行為にエネルギーをかけなくて済むじゃないですか。

成毛　僕もマイクロソフトの社長時代はさすがにスーツを着ていましたけど、スーツ以外は今と着ているものはあまり変わらないですね。僕は食べるものにも興味がなくなりつつあります。これを言うと驚かれるけど、３日間コンビニで買ってきたお弁当を食べていることもありますよ。

ひろ　コンビニのお弁当って本当にレベルが上がっていますよね。

成毛　この前、お金持ち連中と一緒にワイン会をしたんですよ。で、事前にファミリーマートで売っているチルドのビーフシチューを鍋に移して冷蔵庫に入れておいたんです。そして、みんなの前でそれをおもむろに取り出して、温めてから生クリームをかけて出したら、美食家たちが「これは○○ホテルのビーフシチューですか？」って勘違いしていました（笑）。ファミマの商品だと言いづらい雰囲気になったくらいです。

ひろ　やば（笑）。

成毛　だから今、コンビニ飯はいっぱい試していますよ。

ひろ　コンビニ飯を比較するって、大学生ユーチューバーとかがやってるネタですよ（笑）。飲み物でいうと、僕は缶ジュースは買わないようにしているんです。ちょっとくらい離れていてもスーパーに行ったほうが安いし、そもそも喉が渇いても人はすぐには死なないので。まあ、服や食事はほんの一例で、僕らは「ムダな消費をしない癖がある」ってことですよね。それで、ムダなものは買わないので、お金もたまって必要なときにちゃんと使うことができると。

成毛　まあ、表現として一番いいのは「合理的に生きる」ですかね。毎日同じ服を着ているのは選ぶ時間がもったいないからですし、ムダなものを買わないのも、買ってもどうせ使わないからです。すべて合理的に考えて生きるだけですよ。

ひろ　その合理的に考える癖をつけられるかどうかですね。

成毛　逆に、服選びに時間をかけない習慣をつけることで、合理的な考え方が身につくかもしれない。そして、その服選びをきっかけにほかのことにも派生していくかも。ですから、読者の皆さんも服を選ばない生活を一度、やってみるといいと思います。

目次

第3章 メタバース、仮想通貨、デジタルのこれから

第1章

10年後、20年後の世界

MAKOTO NARUKE
×
HIROYUKI

10～20年後に残る仕事とは？

成毛さんがマイクロソフトを選んだ理由はなんだったのか？
これからは、やはりIT関係の会社がいいのか？
そもそも「いい会社」はどうやって判断するのか？

ひろ　「AIやロボットの発展によって、消滅する仕事が続出する」と言われて久しいですが、最初は「10～20年後に残る仕事」がテーマです。

成毛　なかなか難しいですね。

ひろ　成毛さんはビジネスマンとして大成功を収めていますが、ご自身がうまくいった理由はなんだと思いますか？　僕も成毛さんも中央大学の出身ですが、同級生でいい仕事に就けなかった人も多いじゃないですか。

成毛　そうですね。こればっかりは「運」の要素が大きいでしょうね。割合にすると、

9割くらいが運だと思います。

ひろ 日本マイクロソフトの社長も運でなったと(笑)。

成毛 だって、今のような未来を予想していませんでしたから。僕は就職活動を1ミリもしてないんですよ。新卒のときは、適当にアメリカ企業と合弁でつくられた自動車部品メーカーを選びましたから。

ひろ そこからマイクロソフトへはどういう流れで?

成毛 僕はもともと出版社志望だったんです。でも、就活では学歴的に無理だと諦めて、自動車部品メーカーに就職しました。そんなとき、当時読んでいた『アスキー』というパソコン雑誌で編集者を募集していたんです。それで、入ったら次の日に「子会社の日本マイクロソフトに出向してくれ」と言われた。

ひろ 「アメリカ企業との合弁会社にいた」というスキルが買われたんですかね。

成毛 いや、編集経験がなかったからでしょうね(笑)。だからといってパソコンに詳しいわけではなく「マイクロソフトって何?」という状態。もちろん、今のような巨大企業ではなかったですから。

ひろ　でも、マイクロソフトはそこから急成長して、成毛さんも日本法人の社長まで出世したわけですよね。無能だと社長にはなれないですよ。

成毛　いやいや、ガンガン伸びている会社は、無能でもけっこう大丈夫なんです（笑）。だって、当初の日本法人の社長は、親会社のアスキーへの入社順でしたから。

ひろ　えっ⁉「いつアスキーに入ったか」で、社長が決まってたんですか！

成毛　ええ。最初の頃の社長は、社員番号順ですよ。

ひろ　じゃあ、成毛さんが今の若い人にアドバイスをするとしたら、「これから伸びそうな会社に入れ」ですかね。

成毛　それ以外ないんじゃないですか。自分で起業するのも大変ですし。

ひろ　でも、今でこそマイクロソフトは超巨大企業ですけど、成毛さんが出向した当時は、「いい会社かどうか」を判断するのは難しかったですよね。

成毛　そうですね。当時のマイクロソフトは、ベーシック言語やタイピングのゲームを作っていた会社でしたから。

ひろ　でも、そんなマイクロソフトやアスキーに入ったのは、安定よりも「おもしろそう」という気持ちを優先したからですよね。

成毛　というより、編集者や物書きの道を諦められなかったからですね。未来がどうとか考えていたわけではありませんよ。

ひろ　それでも、希望していた出版社には入れなかった成毛さんが、それ以上の成功をつかみ、しかも今や作家としてベストセラーをガンガン出している。そう考えると、やっぱり運が大事なんですかね。

成毛　だからこそ、今回のテーマの「10～20年後に残る仕事」も、「正直、わからない」が結論になります。予想なんてできませんよ。

ひろ　それで思い出したのは、昭和の終わりくらいに「商社って未来がないよね」って言われていたことなんです。商社というのは日本独自のシステムで「メーカーが自社で仕入れをすれば商社の存在意義はなくなる」と言われ続けていましたが、令和になった今でも業種別で見たときに商社はトップレベルの利益を上げているんです。

成毛　それは、日本にゴールドマン・サックスやモルガン・スタンレーといった投資銀行がない理由と重なりますよね。商社は投資銀行の役割を担っていて、しかもキャピタルゲイン（売買利益）だけでなく、商流を整えて売り上げも上げている。

ひろ そう考えると、日本の商社ってめっちゃ優秀ですね。投資銀行もやりつつ、商流もきちんと整えて、売り上げもちゃんと上げる。

成毛 しかも総合商社は、海外の鉱山から国内のコンビニチェーンまで幅広く扱っていますからね。バランスシートの中のアセット（資産）が異常にデカい商売なので、ほかの国はなかなかまねできません。

ひろ 「日本式でほかに例がないからうまくいかない」と言われていた商売が「ほかにないから」生き残ったわけですね。

成毛 日本が特殊な状況だったことも影響していますよね。ガラパゴスも捨てたもんじゃないです（笑）。

ひろ すると、今後、日本発の世界的なＩＴサービスは厳しいかもしれないですね。すでにＩＴ系は世界中で出そろっちゃってますから。ただ、農作物なんかは狙い目だと思うんですが。

成毛 ええ、かなりイケるでしょうね。特に付加価値の高いものはチャンスがあります。

ひろ　海外に住んでいて思うのは、日本の農作物は本当に質がいいんですよ。糖度は高いし、サイズもきちんと整っている。

成毛　東京五輪で来日したソフトボールのアメリカ代表監督が「福島の桃はデリシャス」と言って6個も食べたということが話題になってましたよね。そういう超高級フルーツが、パリやニューヨークで売れるようになれば大儲けできますよ。

ひろ　でも、せっかく日本人が品種改良しても、韓国でシャインマスカットやイチゴが無断栽培されたりしていて、もったいないですよね。あるいは、ヨーロッパで「和牛」として売られているものがオーストラリア産だったりしますし。ブランド管理をちゃんとしていないせいで、他国にどんどん持っていかれてます。

成毛　それこそフランスに学ぶべきですよね。「シャンパン」と名乗るには、産地がシャンパーニュ地方であることはもちろん、栽培方法や製造過程の規定をすべてクリアしないといけない。それくらい厳格なルールを作るべきです。

ひろ　日本はむしろ逆を行っていますからね。老舗の「まるや八丁味噌」が、木桶《きおけ》で2年以上熟成させる伝統製法で684年続いてきた「八丁味噌」の名称を守ろうとした結果、農水省に「八丁味噌」を名乗ることを禁止されそうですから。んで、農水省はステンレス桶で3ヵ月の即席熟成させたものを「八丁味噌」と名乗れるようにしている。アホなんじゃないかと。

成毛 おかしな話ですね。

ひろ 日本って、正しいことを声高に言ったとしても、各々の事情を勘案して妥協しがち。んで、それを「大人の結論の出し方」だと思っていたりするじゃないですか。

成毛 そうですね。

ひろ 日本にとって国際競争力のある分野も、日本独特の謎ルールで潰されてしまう。AIやロボットにビビる前にもっと見直すべきことがあると思いますけどね。

地方と都心、住むならどっち？

日本は今後、巨大な地震が予測される。
首都圏直下型を避けるなら地方に住むという選択肢も出てくる。
東京or地方、賃貸or購入。住む場所について。

ひろ　そもそも僕は「未来を予想しても、基本的に外れる」と思ってるんです。大きく外れないのは人口動態くらいですよ。

成毛　そのとおり。僕は『２０４０年の未来予測』という本を出していますけど、ベースは人口動態と自然災害です。このふたつは確実ですが、ほかは不確実ですからね。

ひろ　実際「20年後の20歳の人口」は、今年の0歳の人口でほぼ決まりますからね。

成毛　話はいきなり変わりますが、僕は、明るい未来を予想する人は精神年齢が若くて、年を取ると悲観的になると感じています。未来予測でわかるのは、未来じゃなくて、その人の精神年齢だと思いますよ（笑）。

ひろ　若いときって体力もあるし、給料もポジションもどんどん上がっていく。でも、ある程度の年齢になると体力は落ちて、定年になって退職したり、収入もポジションも低くなる。亡くなる知人も出てくる。そういうことが影響してるのかもですね。

成毛　若者特有の無鉄砲さは、物を知らないからできるんです。年を重ねると経験も増えますが、よけいな知識も増えますから、やることが慎重になる。

ひろ　新規事業の立ち上げも、年を取ると「昔似たようなサービスがあった」とか「あのサービスはうまくいかなかった」とか、やらない理由も増えますからね。

成毛　あと、年を取ると自然災害に対する恐怖心を持ちますよね。それも人生で何度も経験しているからでしょう。でも、実際に10～20年後の日本の未来を考えたら、最大の問題は地震ですよ。地球科学者の鎌田浩毅・京都大学名誉教授によると、首都直下地震は今日起きてもおかしくないし、南海トラフ地震は２０３５年±５年で起きると予測されているそうです。しかも、両方とも東日本大震災よりも規模は大きいとも。僕も含めてですが、よく日本から逃げないなと思いますよ。

ひろ 僕は、日本に住んでいる頃から地震への危機感は薄いほうでしたけど、不動産を買う気にはならなかったですね。特にタワーマンションはありえない。建設から50年とかたって、老朽化したときにどう建て替えるのか。老朽化の前に売り抜けるならまだしも、ついのすみかとしては厳しいですよ。

成毛 僕も「不動産は買うな」と言ってます。間違いなく人口は減っていくし、今後は空き家も増えるわけですから。一方で、ここ1、2年はタワマンの価格は上がって、土地の価格は上がっていないんですよ。

ひろ タワマン人気は、相続税対策だといわれていますよね。ただ、法律が改正されて高層階に行くほど固定資産税が高くなった。今後はもっと不利になるかもしれないので、節税系の商品としては微妙そう。

成毛 人口減少や空き家の急増、将来的にやって来る建て替えやリフォーム、税制の改正リスク、そして天変地異を考えると恐ろしくて不動産は買えないですよ。

ひろ 買うとしたら、まだ転売の可能性が残っているJR山手線内のマンションのペントハウスとか。まあ、自分が住むというより、金融商品としてですけど。多くの人が金融商品としてのマンションと、自分が住むマンションとをごっちゃにしているんですよ。

成毛　われわれがこういう話をしていると「じゃあどこに住めばいいんだ！」とツッコまれそうですね。

ひろ　災害のことも頭に置いておくなら、低層階なら都内でも問題ないと思います。東日本大震災のときも都内で住めなくなるマンションはあまり出ませんでしたよね。低層階なら階段も使えますし。あとは、古くからある神社があるところは安全っていいますよね。

成毛　東京工業大学のグループが「東日本大震災の津波被害における神社の祭神とその空間的配置」を調査したところ、自然災害を治めるスサノオを祭る神社の被害はほとんどなかったようですね。神社は数百年から１０００年単位で続くものもあるので「歴史の古い神社は天災に強い説」は割と信憑《しんぴょう》性があると思いますよ。

ひろ　なので、答えとしては、昔の地形とかハザードマップを参考にして、土地が安定している所を選ぶってことですかね。でも、そういう土地は高いので、賃貸のほうがいいんでしょうけど。

成毛　僕も若かったら賃貸を選んでいたでしょうね。

ひろ　編集さんから「おふたりならどこに住みたいか」と聞かれてますけど、僕的には地震のことはあまり気にしないですね。それよりは職場から徒歩圏内の物件を選んじゃいます。通勤時間が短いほど可処分時間が増えるので。

成毛　首都直下地震が怖いから東京を避けるとは考えない？

ひろ　10年に1回のペースで日本のどこかで大きな地震が起きるのは事実でしょうけど、自分が直接大きな被害を受けるかどうかは、運の要素がだいぶ大きい。それよりも、おもしろい仕事ができて、それなりに高い給料がもらえる都市ってなると、日本の場合はどうしても東京になるかなと。

成毛　僕はマイクロソフトの社長時代に浜松町にあった本社のオフィスを笹塚に移したんですよ。移転後にビル・ゲイツが来て、ニヤニヤしながら僕にこう言ったんです。「おまえ、オフィスを自宅の近くにしたんだろ」と。ビックリしましたね。なんでバレたのかと（笑）。

ひろ　まじすか（笑）。

成毛　でも、ビルも「それが正解だよ」と言ってくれました。「おまえは日本法人の指揮官なんだから、自宅を職場の近くにするか、職場を自宅の近くにするか。まあ、職場の隣に住むのがベストだけどね」と。実際に会社を自宅の近くに持ってきたことで、通勤時間が1時間くらい短縮できました。開発センターやデータセンターも京王線沿線に設置したら、乗り換えなしで行けるから便利ですし、社員も職場の近くに集まってきた。

ひろ　てなわけで、成毛さんと僕と、そしてあのビル・ゲイツの意見が「職場から近い場所に住むべき」だと一致しました（笑）。

成毛　リモートワークもじわじわ増えていますが、僕は東京以外に住むつもりはないですね。

ひろ　僕も田舎に行く考えはないっすね。職場が都心にある場合、結局、平日の5日間を過ごすのは都心。田舎に行きたいなら土日に行けばいいわけですよ。1週間を平日と休日で分けたとき、どっちにいたほうが効率的かと考えたらおのずと答えは出るかなと。

成毛　僕にとってそれが熱海の仕事場なんですよ。基本は都内の自宅にいますが、たまに熱海に行きたくなる。ひろゆきさんも帰国した際にはぜひ来てくださいよ。

ひろ　ぜひぜひ。熱海いいですよね、魚もおいしいですし。

成毛　実はそうでもないんですよ。本当においしい魚は豊洲に集まるので。北海道の魚介類や大間（青森）のマグロだってそうです。

ひろ　確かに昔、大間でおいしいマグロを食べようと思ったら、現地の人に「東京に行ったほうがいいよ」って言われました（笑）。

成毛　あれ？　結局なんの話をしてるんでしたっけ（笑）。

ひろ　10～20年後の未来ですね。だいぶそれちゃいましたが（笑）。

東京一極集中はどうなるか？

リモートワークの普及によって都心から地方や郊外に引っ越す人が増えたという。この流れは続くのか？　という話が脱線して……。

ひろ　最近はリモートワークの普及もあって、東京から地方に移住する人が増えているようですが、それは一時的なものだと思います。結局、仕事があるのは都会ですし、不景気になればその傾向も加速するので、僕は将来的には東京にもっと人が集まると思っています。

成毛　僕も東京の人口は増えると思っています。ただし、東京都というよりは〝東京圏〟。千葉や埼玉など〝東京のような街〟に人が増えると思います。例えば今、千葉県の印西市に若い人が多く移住しているそうです。彼らは勤め先が千葉市だったりするので、家から職場が近く、満員電車に揺られなくていい。また、都心で遊ぼうと思えば40

分程度で行ける。同じような例が東京周辺の街でたくさん起きるんじゃないですかね。

ひろ 茨城県の取手市に若い人が増えているって話もありますよね。電車に乗れば秋葉原まで約1時間だし、1000万円台で庭付きの一軒家が手に入る。30代で子供が生まれて、庭付き一軒家が欲しければ取手市のような地域も選択肢に挙がるようです。

成毛 これから増えていくと思うのが「ZOZO」のようなパターン。本社が千葉市にあって多くの社員が会社の近くに住んでると聞きます。10年もすればたくさんの企業が、さいたま市や立川市といった郊外に移っていくと思います。

ひろ 僕的には、もうちょっと都心信仰みたいなものが続くと思います。例えば、多くのアメリカ人にとって「ロサンゼルス」で働くのも「ニューヨーク」で働くのも同じだと思うんですよ。でも、日本人は「東京」か「千葉」かでだいぶ違う。千葉にある施設なのに東京と名称をつけるパターンもありますし、世間の評価も「東京で働いている」のと「千葉で働いている」のではけっこう違う。〝東京ブランド〟って、思っている以上に評価が高いので、東京一極集中は10年くらいじゃ変わらないかなと。

成毛 まあ、江戸時代からさかのぼれば東京一極集中は、300年近く続いていますからね。明治維新も薩長土肥という地方出身者が江戸に来て革命を成功させたわけですし。

ひろ 逆に、あの勢いのまま薩長あたりに大きな都市をつくろうとは思わなかったんですかね。

成毛 江戸時代の薩長は地方すぎて難しいでしょう。

ひろ 東京は規模もすごいですよね。首都圏の人たちは東京で好きなアーティストのライブがあったら1時間かけても普通に見に行くじゃないですか。そういうふうに「東京に行くことが当たり前」な人が、首都圏に3000万人近くいるわけです。3000万人の都市って世界でも稀有《けう》ですよね。パリは車で1時間走ると街が終わって森になりますよ。

成毛 ニューヨークもロンドンもそうですよ。

ひろ ってなわけで、今後も東京に人が集まるのは変わらないと思いますね。一方で、インフラの整備っていう面でいうと、フランスの道路ってめっちゃ整備されているんですよ。しかも、高速料金は基本的に無料。

成毛　それはフランス特有の事情かもしれません。フランスは高速道路だけでなく、一般道もちゃんと整備されているんですよ。自転車ロードレースの「ツール・ド・フランス」の影響があるからといわれています。

ひろ　あー、なるほど！

成毛　ちゃんと整備しないと自転車レースにならないでしょ。ツール・ド・フランスは「フランス一周」の意味です。それを１００年以上やっているのでマニアックな山道も舗装されている。ツール・ド・フランス以外にも自転車のレースはたくさんありますしね。

ひろ　それは、ある種の参勤交代ですね。江戸時代は参勤交代のために地方から江戸につながる道が整備された。それで宿場町ができたり、流通が活性化したり、すごくよくできた仕組みだと思います。同様に、ツール・ド・フランスも道路を整備しつつ、観光客を呼び込むこともできる。

成毛　だから、街を挙げてコースになるように誘致するわけですよ。単なる名誉のためだけじゃない。

ひろ　スタッフや観光客など何万人単位で人が移動するので、宿とかも整備されますしね。そうやって、観光政策とインフラの整備を合わせたことを日本でもやればいいんですけどね。でも、日本はなかなかそういう発想にならない。

成毛　まあ、自治体が自分たちで金を使いたいんでしょう。地方議員の利権なんかも絡んでくるでしょうし。

ひろ　またもや話が脱線しているので、編集さんが困った顔をしています（笑）。

成毛　あと、20年どころか10年もしないうちに紙の新聞はなくなるでしょうね。紙媒体のビジネスは厳しい。同じ理由で、この『週刊プレイボーイ』も紙版はキツいんじゃないですか？（＊本書は２０２１年９月から２０２２年５月まで『週刊プレイボーイ』で連載された対談を基にしています）

ひろ　週プレに限らず、雑誌という媒体が危ないですよね。駅の売店で買う習慣はなくなってきているし、コンビニからは成人誌が消えた。グラビアがガンガン載っている週プレも厳しくなると思います。と、好き勝手なことを言っていますが、そばに編集長がいるんですよね。どんな思いで聞いているのか（笑）。

成毛　せっかくだから出てもらいましょうよ（笑）。

編集長 あ、編集長の松丸です。確かにグラビアというだけで白い目で見る方はいらっしゃいます。ただ、そこで萎縮しても先細るだけなので、週プレとしては逆にグラビア文化の領域を広げていけないかと。以前、バニーガール姿で週プレの表紙を飾ったこともある二階堂ふみさんが撮影した、山下智久さんのグラビアを掲載したところです。「撮られる側」が「撮る側」にまわるのもおもしろいかなと。

成毛 まあ、コンテンツとしてのグラビアはまだまだイケるでしょうね。僕は「スマートニュース」をよくチェックしているんですが、グラビアの記事がけっこう出てくるんですよ。僕自身は興味がないから一回もタップしたことはないんだけど、それでも20本に1本くらいはグラビアの記事をオススメされる。多くのアクセスがある記事だからこそ、アルゴリズム的に表示されているんでしょうね。

編集長 キレイ、かわいい、セクシーなものを見たいというのはかなり根源的な欲求なので、時代とのバランスをどう取っていくかですね。紙媒体の今後という話に戻ると、2020年の週プレは実売数では前年比超えしていて、たぶんコロナによる不穏な時代のニーズにマッチした部分もあったかと。僕は雑誌のアイデンティティは、紙か電子かってこと以上にパッケージ性だと考えているので、それをどうプラットフォームに応じて表現していくかが今後の課題かなと。

ひろ　生き残れるかどうかは、集英社がサブスクをやるかどうかにかかってると思います。『週刊少年ジャンプ』や『週プレ』が読み放題で月500円とかだと多くの人が加入するでしょうから。

編集長　年齢層が異なるのでどうかな……。青年マンガ誌の『週刊ヤングジャンプ』『グランドジャンプ』あたりなら重なると思いますが。でもおもしろいですね。

ひろ　逆に少年誌の『少年ジャンプ』は、『週プレ』と距離を置きたいと思っているかもしれませんね（笑）。ああ、またもや脱線しちゃいました（笑）。

成毛　でも、ふたりだけで話すより、編集者が入ってくるほうがおもしろいですよね。ふたりだとどうしても予定調和っぽくなってしまいますから。

ひろ　ってなわけで、今後もちょいちょい出てもらうってことで、よろしくお願いしますー（笑）。

世界が注目する核融合技術。でも日本は置いていかれる!?

次世代エネルギーとして世界的に注目されている「核融合」。しかし、日本ではあまり話題になっていない。その理由はなんなのか? 実は日本の研究も「いい線いってる」とのことなのだが……。

ひろ ここ数年、「核融合」という言葉を聞くようになりましたよね。ビル・ゲイツ、アマゾン創業者のジェフ・ベゾスたちも核融合ベンチャーに数百億円レベルで投資していますし。

成毛 核融合は僕もかなり注目していて、30年後のグローバル巨大産業になることは確実だと思います。水素などの軽い原子核を融合して、ヘリウムといった重い原子核に変えることで非常に大きなエネルギーを発生させる技術ですからね。

ひろ そうやって、世界から注目されている技術ですが、日本は置いてきぼりにされそうな気がするんですよ。というのも、日本って核に対するアレルギーが強いじゃないですか。

成毛　「核＝原子力発電＝放射能」というイメージが強いので、反射的にアレルギー反応を起こす人が多いでしょうね。「核融合」と「核分裂」は違う技術で、原発事故のように放射能が拡散するような事態は核融合では考えられないんですが、ごっちゃになってる。

ひろ　ってことで、日本以外の国では核融合の開発と普及が進み、結果的に「普及した国から技術を買う」みたいな感じになるんじゃないかと思います。

成毛　ただ、日本の研究もいい線いっているんですよ。例えば磁場閉じ込め方式の「トカマク型」核融合実験装置は、日本とヨーロッパとアメリカが有力です。

ひろ　あ、そうなんすね。

成毛　それだけではないですよ。核融合にレーザー光を用いた「レーザー核融合」という技術もあって、大阪大学が30年以上前から研究してきました。ただ、国からの予算が厳しく運営が苦しいようです。しかるべきところに予算を割かない日本政府はバカかと思います。

ひろ　もったいないっすね。

成毛　加えて、核融合炉に使われる素材も日本は強い。例えば、「京都フュージョニアリング」という企業は、核融合炉の内壁に使われる「ブランケット」などの部品を手がけています。

ひろ　あ、日本は素材産業として輸出する道があるんですね。でも、その会社も日本にいる必然性がなくなって、外国に本社を移しそうな気もしますけど……。

成毛　実はそのとおりになる可能性があって、すでにイギリスに子会社をつくっちゃったんですよ。

ひろ　実験のしやすさとか、買ってくれるお客さんとの近さを考えたら、ヨーロッパに会社をつくったほうが楽ですからね。まあ、核融合炉が普及するのは時間の問題だと思うんですけど、とりあえず日本のことは置いといて、ヨーロッパやアメリカではいつ頃までに実用化できると思いますか？

成毛　核融合炉って「トカマク型」や「ヘリカル型」といった「磁場閉じ込め方式」と、

レーザーを使った「慣性閉じ込め方式」があるんです。そして、慣性閉じ込め方式にはメカニカルに燃料を押しつぶすタイプもあるんです。

ひろ　メカニカルに押しつぶす？

成毛　要は、ピストンを押し込んで爆発させる。あまりにもアナログなので、この話を聞いたときには「本当かよ!?」とあっけにとられました。でも、これをやっているのが「ジェネラル・フュージョン」という会社で、ジェフ・ベゾスらが投資しているんです。実用化という意味でいえば、この技術が先になる可能性が高いと思います。そして、その核融合炉は船に載る。

ひろ　じゃあ、豪華客船が核融合エンジンで動くと？

成毛　それよりもタンカーでしょうね。将来のパナマ運河を通過できる最大級の船のタンカーのエンジンに核融合技術が使われるんじゃないでしょうか。船って二酸化炭素をすごく排出するので、環境への影響がかなり大きいんですよ。

ひろ　ってことは、コスト面でも環境面でもかなり需要があるってことですよね。

成毛　案外、あと5年ぐらいでできるかもしれないですよ。すでに、このエンジンを搭載する船体の設計は始まっていますから。

ひろ　船のエンジンは普及しそうですけど、発電用はどうですか？

成毛　発電用は巨大な核融合炉を造らなければいけないので、まだまだ時間がかかりそうですね。あと50年先までいかないと思いますが、20年くらいは見ておいたほうがいいでしょうね。

ひろ　エネルギーでいうと、再生可能エネルギーも注目されているじゃないですか。成毛さんはどんな感じで見ていますか？

成毛　核融合以外に現実的な方法はないんじゃないですか。

ひろ　ですよね。僕もない気はしますけど、「自然エネルギーで賄えるんだ！」とか言ってる人も多いじゃないですか。可能性は理論的にはゼロではなさそうですし。

成毛　いや、むしろ理論的に考えたら太陽光だけでは、グローバル規模のエネルギーを賄えないですよ。特に日本は自然エネルギーだけで賄うなんて非現実的です。日本の国土の3分の2は山林なので、風力発電所や太陽光発電所をまともに造れる場所が少ない。

ひろ　昭和の時代みたいに、ダムをいっぱい造っちゃうとか？

成毛　条件として、谷じゃないといけないし、大きな落差も必要。すでにまともに造れる場所は少ないと思います。例えば、四国の四万十川あたりには造れそうですが、そもそもあのあたりはそこまで電力需要がない。

ひろ　確かに四国は人口が少ないですからね。

成毛　都心部に送ろうにも送電のコストがバカになりませんよ。

ひろ　潮力発電がいいんじゃないかって話はちょこちょこ聞くんですけどダメなんですかね？

成毛　それもコストが合わないんじゃないですか。黒潮の海流には膨大なエネルギーがあるので、それを潮力発電に使おうという構想もありますが、これも相当大変みたいです。黒潮は流れがけっこう変わるんですよ。すると5兆円ぐらい投資して造ったものの、いざふたを開けてみると全然発電できないというマヌケな事態も起こりうる。

ひろ　まあ、海底にそんなデカい装置を造れるぐらいだったら、日本海の海底にあるというメタンハイドレートを採掘したほうがよさそうですからね（笑）。

成毛　そうそう（笑）。でも、メタンハイドレートは二酸化炭素を排出するから、再生可能エネルギーではないです。だから、二酸化炭素の排出を抑えるという意味でも、現実的な手段はいわゆる原子力発電の「核分裂炉」か、今回のテーマでもある「核融合炉」以外にはないと思いますね。

ひろ　なるほど。ってことで、まとめると核融合にはポテンシャルがあるのは明白で、世界が注目するのも納得だと。んで、日本は研究や部品なんかもいい線をいっているんだけど、ちゃんと生かせるかは微妙ってことですね。

成毛　ですね。まじめな話、僕が今20代なら、ITみたいな1970年代からあるようなロートル技術に人生はかけませんよ。その代わり核融合にBETします。なんせ〝賭け金〟は100万倍になって戻ってくる可能性があるわけですから。

日本の原発再稼働はあり？　なし？

火力発電はCO_2の排出量が多く、温暖化に影響する。
原子力発電は放射性廃棄物の処理の問題があり、事故が起きたときのリスクも大きい。
そして東電の問題点とは？
将来、日本で核融合は受け入れられるのか？

ひろ　前回は成毛さんが「核融合」技術に期待しているというお話でした。

成毛　太陽光や潮力などの再生可能エネルギーで電力のすべてを賄うのは非現実的ですからね。ただ、核融合はまだ実用化されていないので、しばらくは核分裂、いわゆる原子力発電を活用することになると思います。

ひろ　ＥＵも原発を環境に優しいグリーンエネルギーとして認める動きがあります。また、ウクライナ情勢もあって「ロシアの天然ガスに頼り切るのも危ないよね」って話にもなっているので、原発に戻っていく国が増えそうですね。

成毛 ロシアのウクライナ侵攻によって、原油価格や液化天然ガスの価格も上がり続けるでしょうから、電力料金も倍になるかもしれません。

ひろ 火力発電などの燃料の価格が上がるでしょうからね。

成毛 でも、原発に切り替えたら、そうしたエネルギー資源の輸入量を一気に減らすことができる。多くの国では発電の余力はありませんが、日本は泊《とまり》、女川《おながわ》、柏崎刈羽《かしわざきかりわ》、浜岡、志賀あたりの原発は、現在停止中です。つまり、日本は膨大な原発が眠っている。

ひろ そうですね。

成毛 原発を再稼働すれば、日本のCO_2排出量も減りますし、ヨーロッパへの支援にもなる。とはいえ、世論の反発も予想されるので、自民党的には2022年夏の参議院選挙の前に再稼働は決定しないでしょうね。

ひろ 僕が住んでいるフランスなんか、原発の割合が世界一高くて約70%だったりするんですよ。でも、国民の反対の声をあまり聞きませんね。

成毛 まあ、日本の場合は福島第一原発事故がありましたからね。

ひろ　原発反対といえば、「何がなんでもダメだっていう人」「今の原発の技術に疑問がある人」「原発を運営する電力会社や政府に不信感があって反対している人」とレイヤーが分かれると思います。んで、ちゃんと物事を理解している人と物事を理解していない人がいて「何がなんでもダメだ！」はおいておくとして、「物事を理解してる側の人」から見ると、東京電力など電力会社の職員に対する不安が大きいんじゃないかと思うんです。

成毛　実は福島第一原発事故が起きる前、国の研究機関である地震調査研究推進本部の長期評価を用いて２００８年に東電社内で試算したところ、「福島第一原発が15・7ｍの津波に襲われる可能性がある」という報告があったらしいんですよ。しかし、そんな津波の発生確率は10万から１００万年に１回程度で、さらに防潮堤建設などの対策に巨額の予算がかかることから、東電の経営陣たちは対策を打たなかった。

ひろ　ですよね。もともと「津波が発生したら原発はマズい」という報告があったけどシカトしたとか。日本国内で初めて事故被曝による死亡者を出した１９９９年の東海村ＪＣＯ臨界事故も、原因は正規マニュアルを無視して作業していたことです。原発関連の事故って、技術的にアウトってより、人間の判断の間違いで起きていることが多い。

成毛　そうそう。

ひろ　ってことで、人の判断ミスが大きな原因になっていて、東電の体質を問題視する人も多いんですが、例えば、原発の運用を東電以外が担うってのはありなんですかね？

成毛　いや、技術的には東電が電力会社の筆頭ともいっていいので、東電の原子力部門を切り離しでもしない限り、うまく回らないかもしれません。

ひろ　なるほど……。例えば日本航空って、一度倒産してからまったく別の会社になったじゃないですか。ああいう感じで、東電も一度会社を廃業にして、でも技術者たちの雇用は継続して、株主を全部代えるみたいなことをやるべきだったかもしれませんね。東電以外回せないなら、ヒューマンエラーをなくすためにも、きちんとした経営者を入れていくしかないですから。

成毛　そういう話も一時はありましたが、実現せずに終わりましたよね。

ひろ　そのチャンスが3・11以降にあったけれども、結局、やらなかったんですね。まあ、既存の株主が損失を負いたくなかったのが原因なんでしょうけどね。

成毛　本来は、発電所をやってる連中と送電網をやっている連中を別々の会社に分ければよかったんです。この発送電分離をしっかりしなかったのが最大の問題だと思います。ただ、福島第一原発事故のときにできなかったのには理由があって、儲かる送電事業を切り離すと、発電事業側で発生する賠償金や廃炉の費用を賄えなくなるからです。それで発送電分離を諦めたわけですが、そもそもその判断が最大の間違いだった。

ひろ　組織運営として、規模が大きくなるとどこかが腐っていくのは、日本ではあるあるですよね。一方で、アメリカなんかはけっこうえげつない。「エンロン」というエネルギー会社が巨額の負債を不正な会計処理で隠した事件（2001年）がありましたけど、このときの最高経営責任者は、有罪判決を受けて12年間刑務所に入りました。そんな感じでアメリカでは企業が不正をした場合、経営者はすぐに逮捕される。どんなにデカい企業でも「不正をしてバレたら刑務所へ行くから超怖いよね」となって、変なことはやらないという抑止力が生まれているんです。

成毛　でも、日本はそうではないですよね。

ひろ　結局、事故当時の東電の旧経営陣は、一審で無罪になっちゃいましたからね（現在控訴審中)。ってことで、やらかしてもなんの問題もないし、規模が大きかったり、歴史ある企業だと特にその傾向が強いような気がします。そりゃあ腐りやすいわなと。

成毛　話は戻りますが、ウクライナ情勢が緊迫している今、日本も原発を再稼働させないといけないと思いますし、将来的には日本も核融合をやらざるをえないですよね。これは変えられないでしょう。

ひろ　でも、核融合にアレルギー反応を示す日本人は多いんじゃないですかね？　なんせ「核」という文字が入っているので。

成毛　そうですね。それに、核融合についてきちんと知ってる人はほとんどいないと思いますよ。核分裂と核融合を混同しているどころか、混同するまでの知識がない人も多い。だから、あんまり関係ないと思います。

ひろ　「核」っていう言葉が入ってるから騒ぐのなら、例えば「フュージョン電力」とか全然違う名前にしたら、日本ではスムーズに事が運びそうですね。「これは次世代のクリーンなフュージョンエネルギーなんです」とかいえば「なんかすごそう」ってなるんじゃないですかね。

成毛　まさにそうですね。ただ、日本人が勝手に言い出してもしょうがない。もう少し待っていれば、欧米の人たちがいい名前やキャッチコピーを作ってくれるでしょうから、日本はそれを受け売りすればいいんじゃないですか。そして、今後、日本でも核融合が普及していくような気がします。

昆虫食、代替肉は定番食料になるか？

最近、ちょっとしたブームの「昆虫食」。
そして、見た目や食感などを肉に似せた「代替肉」。
未来の食料として期待されているが、どうなのか？

ひろ　今回のテーマは「昆虫食」と「代替肉」です。2050年に世界人口が100億人に達する予測もあるみたいで、急激な人口増加で食料、とりわけタンパク質が不足すると。んで、その解決策として注目されているのが、昆虫食と代替肉ですね。

成毛　これは……どうなんでしょうかね（笑）。

ひろ　僕的には一種のラグジュアリーブランド（高級品）として残ると思います。これまで昆虫の養殖が盛んじゃなかったのって、育てるのが面倒くさいからですよね。虫は飛び回るので、管理するのが大変。家畜みたいに柵で囲うだけでは逃げられてしまう。

同じように草を食べさせて育てるなら、家畜のほうが楽なんじゃないかと。

成毛　なるほど。

ひろ　ってことで、昆虫食は虫を食べたい人が好んで食べる存在になるんじゃないですかね。

成毛　代替肉はどうですか？　代替肉は大きく分けて、大豆などの「植物由来の代替肉」と「培養肉」のふたつがありますよね。植物由来のほうは、ヴィーガンやベジタリアンの増加でかなり売れ始めています。コストコでも売っていて、あと5年もするとめちゃめちゃ安くなると思いますよ。それから、培養肉は長期的に見ると間違いなく来ると予想しています。ひき肉レベルなら10年以内にマクドナルドあたりが大々的に展開してるんじゃないですか。

ひろ　ですね。

成毛　そして、植物由来の代替肉や培養肉が普及すると、家畜の肉の価格が上がりますよね。需要が減るので一時、価格は下がるけど、それにつれて生産も減る。結果的に種牛や種豚の飼育数が少なくなるので、価格は上がりはじめる。

ひろ　クズ肉といわれる半端な肉も貴重になって、ファストフードも値上がりするかもしれない。

成毛　家畜の肉が高くなるもうひとつの理由として水不足があります。例えば、アメリカ中部のオガララ帯水層の地下水は年々減っていて、早ければあと10年で枯渇するともいわれています。家畜が食べる牧草を育てるには水が必要ですから、水不足は大問題です。あと、魚も値上がりするんじゃないですか。

ひろ　はいはい。

成毛　北海道・厚岸町《あつけしちょう》の名産だったサケは、今、ロシアのカムチャツカのほうに行っちゃってるみたいです。魚って水温が2℃違うだけでもすめなくなるので、今まで北海道で獲《と》れていた魚がどんどん北上している。だから、北洋系の魚は高価になるでしょうね。反対に日本近海では、沖縄のグルクン（タカサゴ）のような南洋系の魚がたくさん獲れるようになるかも。

ひろ　まあ、寒い地域で獲れる脂がのった魚が高価になるのは確実でしょうね。ノルウェー産のサーモンみたいなおいしい魚は、中国人がみんな買っていきますから。んで、南洋系の魚は脂がのっていないから、そんなにおいしくないけど、安いから食べるという流れになりそう。

成毛　そうなりますよ。

ひろ　だから、北洋系の魚が高価になるのは、そんなに未来の話ではないですよ。

成毛　ちなみに僕は最近、魚をほとんど食べなくなったんですよ。

ひろ　どうしたんですか？

成毛　理由はふたつあって、ひとつはアニサキスアレルギーです。検査をしたら、アニサキスアレルギーの数値がクラス1だった。まだ問題ない範囲ですけど、アニサキスが寄生した魚を食べ続けるとレベルが上がってしまうみたいなんです。

ひろ　一生で食える魚の量が決まっているってことですね。

成毛　花粉症と一緒です。コツコツたまっていって、ある日突然バーンと来るみたいな。でも、笑えないのが、アニサキスアレルギーがひどくなると、かつおだしも飲めなくなるということ。みそ汁やそばが食べられなくなるのはいやなので、魚は控えるようにしているんです。その話をフェイスブックに投稿したら、意外と多くの人が自分もアニサキスアレルギーだとコメントしてきて驚きましたよ。

ひろ　僕の周りにもアニサキスアレルギーの人は多いんですけど、高級すし店に行きまくっている金持ちばかりなんですよ。だから、金持ち特有のものかと思ってました(笑)。でも、ちゃんと統計を取ったら、日本にもけっこうな数の人がいるんでしょうね。

成毛　厚生労働省が調べているのは、生きてるアニサキスを食べて起きた食中毒なんですよ。これは年間400件から500件くらいです。でも、アニサキスアレルギーの人は、もっと多くいるはずです。

ひろ　実はすでに世界のどこかで調査が行なわれていて、結果もわかってるけど、その結果を出せないかもですね。公表すると世界中の漁業がパニックになる可能性もあるじゃないですか。加熱してアニサキスが死んだとしても、抗原性が消えないパターンもあるみたいですし。ってことで、真実がわかったとしても対処法がないという詰んだ状態なわけですから。

成毛　結局、食べないことしか予防法はないんですよね。あともうひとつの理由はマイクロプラスチック汚染問題。めちゃめちゃビビっているわけではないんですが、人体に有害物質が蓄積されるようなので、食べるのを控えようと思いました。

ひろ　じゃあ、成毛さんは何を食べているんですか？

成毛　最近は野菜が増えてます。あとはカロリーベースで見るとアルコールも増えてるかな（笑）。

ひろ　野菜はいいとして、アルコールは逆に不健康になってません？（笑）

成毛　そうかもしれません（笑）。野菜みたいに健康的なものばかり食べていると、脳は逆に不健康なものを欲しがるのかも。それでビールをがぶ飲みして、バランスを取っている気がします（笑）。

ひろ　ここまでくると「肉も魚も高くなるなかで、何を食べればいいんだ！」と思う人もいそうですね。

成毛　じゃあ「植物由来でタンパク質が含まれる大豆を食えばいい」という話になるんだろうけど、そのためには、日本人がおいしいと思う大豆を作らないといけない。

ひろ　大豆は基本輸入ですからね。

成毛　マジメな話、これからどうするんですかね？

ひろ　まあ、日本人は米を食えばいいんじゃないですか？　一汁三菜みたいな。ご飯とみそ汁と植物系のおかずを食べるという江戸時代の食事が復活するとか。

成毛　レタスだの白菜だのゴボウだのは、都市部の近郊でガンガン作れますからね。最終的には江戸時代に戻るのか……。でも、そうすると寿命も延びたりして。

ひろ　たいていの生活習慣病って食べすぎと運動不足が主な原因だったりするじゃないですか。だから健康になる可能性は意外と高いですよ（笑）。値段が高くて汚染された魚は食わないし、お金がないから牛肉を買うのも難しくなる。結果として野菜とご飯という伝統的な食事になる。

成毛　そうなるんでしょうね。でも、それはそれでいいんじゃないですか。騒いだところで手の打ちようがないわけですし。

ひろ　んで、虫を食いたい人は食えばいいと思います。でも、日本人全員が虫を食べるようにはならないですよね。

成毛　うん、俺は絶対に食わないから（笑）。

統治システムが機能しないロシアの問題点

世界が見守るウクライナ情勢。
なぜ、ロシアはこんな行動に出てしまったのか？
中国との明暗はどこで分かれてしまったのか？

ひろ　ロシアがウクライナへ侵攻してから1ヵ月以上たちましたが、今のところロシア国内ではプーチン大統領の支持率は高いみたいです。しかし長期的に見ると内戦やクーデターが起きるんじゃないかなと思っています。

成毛　僕もそう思います。西側の感覚でいうと、旧ソ連やロシアの指導者でマシだったのはゴルバチョフくらいでしょう。ロシアにはスターリンやフルシチョフ、エリツィン、プーチンなど変わった人が多い。なので、新生ロシアが誕生したとしても、そこを統治するのは不思議な人になると思います。

ひろ　ただ、その理由のひとつに国土が広すぎることがあると思うんですよ。国がデカすぎると官僚システムがうまくいかないじゃないですか。中国も似た部分はあると思いますけど。

成毛　ただ、中国は大昔から「科挙（高級官僚になる試験）」だったり、中央から地方へ「国吏」といわれる役人を派遣したり、それなりに広い国土を治めるシステムを持っていたじゃないですか。この科挙をパスした〝権威（相手が自分から認める力）〟のある役人が派遣されたことが大きい。ちなみに、今やっているＮＨＫ大河ドラマ『鎌倉殿の13人』の世界では、平清盛も源頼朝も権威をうまく使って政治をしているんですよ。

一方で、ロシアは〝権威〟ではなく〝権力（相手を威嚇や力などで強制的に従わせること）〟しか持っていない役人が地方にやって来ます。ロシアは、この「権威と権力の違い」が歴史的にないのかもしれない。だから、ウクライナの統治は難しいと思います。

ひろ　国が広すぎると監視の目が行き届かないので、地方の役人などは賄賂など悪いことがやりやすいですよね。だから、中国の習近平主席は「反腐敗闘争」を掲げて、広い国土をうまく治めるシステムを張り巡らせ、都会と地方の差も埋めようとしている。

成毛　やはり、中国共産党はシステムが強いですよね。中央に任命権があるので、地方で権力を持っている連中は中央の顔色をうかがわなきゃいけない。すると、やはり中央に従うようになる。ロシアは、ソ連崩壊で共産党のシステムがなくなったことが痛かったかもしれません。

ひろ　確かに、国を統治するという意味では共産党のままだったほうがマシだったかもですね。ソ連の頃は政治の中央集権が共産党で、恐怖と暴力がＫＧＢ（ソ連国家保安委員会）だった。でも、ソ連が崩壊して共産党はなくなりましたが、ＫＧＢはＦＳＢ（ロシア連邦保安庁）という形で残っちゃいました。で、ＦＳＢのトップとして恐怖を振りまくことが得意だった人が今は大統領になっている。

成毛　中国共産党はなんだかんだ言って、国内で建国した中国共産党という権威と権力がありますからね。ロシアはそれがなくなってしまった。共産党的な統治形態が向いている国はほかにもありますが、特にロシアと中国はその傾向がかなり強いと思います。

ひろ　まあ、広大な土地と1億人以上の人口がいると、統治するのはムズいっすからね。それぞれで、アメリカも両方の条件に当てはまっていますが、州政府の力が超強くて、それぞれの州が集まってひとつの国になっている「連合国」みたいな感覚なんですよね。

成毛 日本語では「アメリカ合衆国」と書きますが、「ユナイテッド・ステーツ」のステーツは「州」という意味。つまり、本来は「アメリカ合〝州〟国」と書かないといけないし、「州」は中国語では「国」です。だから、アメリカは「連合国」なんですよ。

ひろ アメリカは連合国だし、ロシアはグダグダになってしまった。そういう意味では、「広大な土地と1億人以上の人口に適した民主的なシステムを人類は持っていない」という結論になるかもしれないですね。

成毛 そうでしょうね。だからソ連崩壊の際に、ロシアは緩い中国共産党体制のような形に変質したほうがよかったのかもしれません。実際にゴルバチョフがソ連を解体したとき、「解体されるほうが困る」と言ってた連中がいたみたいです。

ひろ まあ、民主化すればすべてうまくいくってわけじゃないっすからね。

成毛 そのとおり。世界を見渡すと民主化して幸せになった国ばかりではないです。例えば、「アラブの春」で民主化した中東の国には、悲惨な状況になっているところもあります。アフリカの一部でも独裁政権のほうが国民は楽だったというケースも多いでしょうしね。

ひろ　そうっすね。

成毛　アフリカで起きている内戦は「民主化しなかったから起きた」ものだけではないんです。西欧の国が勝手に国境をつくって、違う民族が土地や資源をめぐって戦っているものも多い。クルド人問題もそうで、本来クルド人たちが住んでいた地域がイランやイラク、シリア、トルコに分割されてしまった。理想は民族ごとに分かれて、そのなかで「独裁をしたいならすれば？」というほうが、幸せな地域や人が増えるんじゃないですか。

ひろ　アフリカや中東は独裁国家も多いですからね。んで、国民のひとり当たりのGDP（国内総生産）が一定額を超えていないと、民主化してもあんまりいいシステムにならないような気がするんです。今の先進国のシステムで稼いでいる国民が過半数という状況になってから民主化しないと、むしろ貧しくなっちゃう国もあるんじゃないかと。それまでは独裁でやっていったほうがうまくいくパターンは多そう。

成毛　そんな気はしますね。そもそも、今の韓国も朴正熙《パクチョンヒ》大統領率いる軍事独裁政権が開発独裁をしてGNPを伸ばしてから民主化したという経緯だし。

ひろ　ロシアって国民のひとり当たりのGDPは110万円くらいなんですよ。なので、日々暮らすだけで精いっぱいという人も多いはず。すると「どうやって西側諸国と貿易をしながら稼ぐか」とか、考える余裕のある人は少ないと思います。だから、中央が独裁的に政治をやって、たまにお金をばらまいて「生活が安定してよかったね」という発展途上国型のよくあるパターンがよさそうな気がします。

成毛　確かに。

ひろ　ロシアの土地がもっと豊かだったら「今日頑張れば、明日はもっと良くなる」と思えるのですが、ロシアの土地は頑張っても報われないのが当たり前という環境ですからね。んで、多くの人がそのなかで育っている。

成毛　そうですね。

ひろ　ロシア人が良い悪いとかではなく、やっぱり環境とか民族とかの問題で、同じことを繰り返す気はします。

成毛　まとめるとロシアはウクライナに勝とうが負けようが、経済はズタズタになり、今の韓国並みのGDPが、エジプト並みの水準までいきなり下がってしまうと。

ひろ　経済的には相当キツいっすよね。

成毛　つまり、「巨大な北朝鮮」が出来上がってしまうんじゃないかと思います。そして、そのなかでクーデターや革命、内戦が起きたとしても、歴史的に見るとまたとんでもない指導者が出てくる可能性が高いということですね。

ひろ　ってことで、ロシアは今後、大変な状況になることは間違いなさそうっすね。

ウクライナ戦争後の世界は冷戦時のようなブロック経済になるのか？

ウクライナの戦争で、世界は、かつての冷戦構造のようになるのか？それとも別の新しい枠組みが生まれるのか？

成毛　ひろゆきさんは、ウクライナ戦争後の世界をどう見ていますか？

ひろ　今は西側諸国を中心にロシアを経済制裁しているじゃないですか。これによって冷戦時代のようなブロック経済が始まると思います。中国やイランといったロシアを支援する国と、アメリカやヨーロッパを中心とした国に分かれるんじゃないかと。

成毛　ロシアの勝敗は関係すると思いますか？

ひろ　ロシアが仮に勝ったとしても、西側が「じゃあ経済制裁をやめるよ」とはならないし、ロシアが負けたとしても、「ヒドいことしたから経済制裁は続けるよ」となって、プーチン大統領のままだと経済制裁はやめないと思うんです。でも、ロシアの人も生きていく必要があるので、貿易はしなきゃいけない。そこで、中国がオイシイところを取るんじゃないかと。

成毛　僕は、ロシアと中国が接近するのは難しい気がしています。というのも、ロシアと中国は陸続きで接してはいるものの、ものすごく遠いんですよ。中国にとって近いロシアはシベリアで3000万人くらいしか住んでいない極寒の地です。ロシア人がたくさん住んでいるのはモスクワやサンクトペテルブルクといった西側で、中国からのルートは鉄道が一本しかない。つまり、石油や穀物を送るときなどの輸送効率が非常に悪い。だから、中国とロシアは冷戦の頃のような経済圏には簡単にはならないと思います。あと、中国はロシアを完全にバカにしていますよね。

ひろ　それはそうかも（笑）。

成毛　中国の偉い人は「アイツら墓穴を掘りやがったぜ」と思っているはずです。ただ、ロシアだって、万が一に備えて核ミサイルの標的に中国も入れていますよね。ですから、中国は「核ミサイルをなんとかしろよ、俺たちも危ねえじゃねえか」とも思っているはず。

ひろ　ロシアと中国ってめっちゃ仲がいいわけじゃないですからね。

成毛　なので、世界がふたつの陣営に分かれて冷戦になるとは思えないんですよね。

ひろ　ちなみに、中国はアフリカの国と仲がいいじゃないですか。アフリカは資源がいっぱいありますし、そこから中国系の国際取引ネットワークが機能し始める気がするんですよ。なので、そのネットワークの中にロシアやイラン、北朝鮮などが入って、「外貨取引はドルじゃなくて中国人民元」という形の経済ネットワークができる可能性があると思っています。

成毛　うまくいきますかね？

ひろ　そのブロック経済は、表向きはロシア主導にすると思っています。裏で中国が牛耳っているんですけど、うまいこと立ち回って国際社会からの非難を避ける。言い訳もあくまで「人道的に支援をしている」という体にしておけば、西側諸国とも仲良くできる。

成毛　うーん。

ひろ　欧米がロシアを排除することは可能ですけど、中国を排除したらどの国の経済も持たないじゃないですか。しかも、中国がロシアみたいに「どこかの国を攻め込む」のではなく、「あくまで支援や取引」ということであれば、中国に経済制裁をすることは難しい。んで、中国はアフリカの貧しい国々を植民地のようにして、うまく利用していくでしょう。

成毛　ただ、アフリカといってもかなり広いんですよね。いくら金のある中国でも、モロッコやアルジェリア、チュニジアなど、ムスリム圏の地中海側の国は取り込めないでしょう。それから、イギリス領だった南アフリカも取れない。割と西洋化しているケニアやエチオピア、それからエジプトも難しい。すると、中央アフリカと西アフリカを狙うと思うので、中国のアフリカ戦略はまだら模様になっていくんじゃないですかね。で、問題はアフリカで最大の人口を誇るナイジェリアです。

ひろ　ナイジェリアは人口が約2億人で、その人口と経済規模から〝アフリカの巨人〟といわれている国みたいっすね。

成毛　なので、ナイジェリアが西側諸国の影響下に入るのか、中国につくのか、あるいは独立的なポジションをとるのか……。ところで、プーチンはこの後どうなるんでしょうね。

ひろ　もはや、プーチンを止める手立てがクーデターくらいしか残っていないですよね。選挙でプーチンが負けるのが理想ですが、次の大統領選挙は2024年で、まだまだ先です。2年待っているうちにロシアの経済はボロボロになってしまいますよ。

成毛　もしクーデターが起きなければ、プーチンは2年後の選挙に向けて、1年半後くらいにまた同じような戦争を意図的に起こすと思います。そして、今度は戒厳令を敷くはずです。戒厳令下では選挙がなくなりますから。そのときには、モルドバやジョージアあたりを攻めるかもしれない。

ひろ　あとは経済がボロボロになることで、ロシア国内でのプーチン大統領支持派の人たちが増える可能性もあります。僕の観測範囲内の話ですけど、ロシアで戦争反対と言っている人たちは、ネットが使える割とお金を持っている人たちなんですよ。んで、プーチン反対派のエリートは潰されるし、経済制裁や不景気で売り上げは落ちるので、いい給料をもらっていた人たちも生活が厳しくなる。で、能力のある人は海外に行くでしょうし、ロシア国内に残った人たちは「むしろこんなに厳しいときにプーチン以外の誰に頼るんだよ！」と考えるようになって、プーチンの支持率が上がるんじゃないかと思っているんです。

成毛　そうかもしれませんね。

ひろ　ってことで、もともと多数派だったプーチン支持派がもっと強固になると思います。

成毛　あと、ロシアには天然資源がたくさんありますからね。

ひろ　天然資源のおかげで、ロシアは経済制裁をされても「我慢すれば死なないじゃん」と我慢し続けることができる。

成毛　僕の予想では、ロシアにある希少鉱物をめぐって、ロシア国内に窃盗団がたくさん出てくると思うんですよ。

ひろ　おお。

成毛　どの国でも経済がボロボロになったら、必ずマフィアみたいなやつが出てくるじゃないですか。黒海やオホーツク海あたりで希少鉱物を積んだロシアマフィアの船が走り回っているんじゃないですかね。

ひろ　優秀で稼げる人はどんどん国外へ出ていき、残った人は窃盗団になって違法に稼ぐと。

成毛　賢い人たちは本当にロシアから出ていくと思いますよ。だから、日本の企業はロシアの賢い連中をバンバン採用したほうがいい。

ひろ　賢い人は超賢いっすからね。

成毛　そう。そもそも民族や人種にかかわらず、全体の1%は絶対的に優秀なんです。ロシアには約1億人の人口がいて、その1%は日本人の上位10%よりも優秀ですから。

ひろ　そういえば、グーグルの共同創業者のセルゲイ・ブリンもロシア生まれですからね。ロシアの優秀な1%の人たちをうまく迎えることができれば、日本にもチャンスがあるってことですね。

成毛　そうなりますね。

第2章

情報はどう手に入れるか

MAKOTO NARUKE
×
HIROYUKI

SNS時代の情報収集術

幅広く多くの知識を持っているふたりは、いったい何から情報を得ているのか？

ひろ　今回のテーマは「SNS時代の情報収集」なんですが、そもそも僕はSNSで情報を仕入れないという……（笑）。なぜかというと、一般の人が投稿する情報って基本的に無価値なことが多いじゃないですか。

成毛　僕も同じです。一般人の情報は不正確なことが多いし、ゴシップにも興味がないので、僕はツイッターをやってないんですよ。フェイスブックはやっていますけどね。

ひろ　SNSで気になるニュースがあればチェックしますけど、それって情報源はニュースサイトです。SNSには頼ってないですね。

成毛　僕が意外と使っているのはテレビなんですよ。

ひろ　へえ、意外ですね。

成毛　僕のフェイスブックの投稿を見た人から、「成毛さんはいろんなことを知っていますね」と言われることがあるんですけど、そこに書いているのは意外と前日に見たテレビの内容だったりする（笑）。でも、みんなテレビを見てないから、僕は自動的に物知りキャラになる。

ひろ　うは、現代っぽい（笑）。ちなみに、どんな番組を見ているんですか？

成毛　今、面白いと思うのは、ＢＳ朝日でやっている『町山智浩のアメリカの今を知るＴＶ』ですね。

ひろ　ああ、あれはマジで面白いっすよね。町山さんって情報収集能力や伝える能力も含めて、すげえなと思います。

成毛　ビックリしたのは、あるプロレス団体の特集ですね。野外リングでヤバい連中が戦うんですけど、割れた蛍光灯がそこら中に撒かれていて、バットには釘が打ちつけられている。思わず町山さんも「これ、シャレですよね？」と言ってしまうほど。でも、全然シャレじゃなくて、試合が終わったら選手はお互い全身血だらけ。日本のＢＳだからいいのかもしれないけど、アメリカだと放送できないんじゃないですかね。

ひろ　僕が面白いと思ったのは、キリスト教プロテスタントの福音派を特集した回っすね。今や福音派はキリスト教プロテスタントの最大勢力になっていて、アメリカではすごい影響力があると。

成毛　あと、町山さんが白人至上主義団体に取材しに行ったら、そのリーダーが日本語ペラペラだったとか。やっぱり行ってみなきゃわかんないですよね。

ひろ　んで、あの番組って「アメリカ社会の今」を伝えていますけど、町山さんが見ていることはほかの国でも問題になっていたりするんですよね。例えば、トランプ前米大統領は右派のナショナリストだということで非難されてもいましたけど、移民排斥問題は実際に世界中で起きてるわけですし。

成毛　すごくわかります。その意味でもSNSがあの番組にかなうわけないですよ。僕はフェイスブックで半年に1回は「『町山智浩のアメリカの今を知るTV』を絶対に見よ！」と書いているんだけど、僕の友達もフォロワーも全然見てくれないんだよな。

ひろ　成毛さんは、ほかにどんなテレビ番組を見ているんですか？

成毛　NHKのドキュメンタリーが多いですね。『サイエンスZERO』や『コズミッ

ク　フロント』『BS世界のドキュメンタリー』とか。もちろん『NHKスペシャル』も見ていますよ。

ひろ　ああいう番組を見ていて思うのは、情報量の多さですよね。ネットの文字とは比べ物にならないですから。

成毛　そのとおり。情報量という点では、文字は映像にはかなわない。

ひろ　特にNHKはちゃんとした番組が多いっすよね。制作費にかなりお金がかかっているから、そのぶん情報もちゃんとしている。

成毛　やっぱり財力があると違いますよ。

ひろ　Nスペは、1本に4000万〜5000万円かけるみたいなことを聞いたことがあります。

成毛　昔、NHKがマイクロソフトの特集をしたときに、マイクロソフトのオフィスが入っているビルを撮影したいといって、ヘリコプターを2、3日借りてました。ヘリからの撮影だけで、最低でも1000万円くらいはかかったと思うんですが、実際に放送で使った映像はたったの5秒。あれには驚いたな〜（笑）。

ひろ　成毛さんって、新聞は読みますか？

成毛　紙の新聞はもう15年以上取ってないですね。ただ、ネット版の『日本経済新聞』『ウォール・ストリート・ジャーナル』、新聞ではないですがイギリスの『エコノミスト』誌は有料で購読してますよ。

ひろ　チェックするメディアは、ちゃんと決めてるんですね。

成毛　この3つは30年以上前からチェックしています。僕がエコノミストを読み始めたのは、マイクロソフトの幹部の中で「エコノミストを読んでいないなんてバカなのか」という風潮があったからです。いや、「人間なのか、おまえは」というノリだったかな。

ひろ　何があったんですか？

成毛　ビル・ゲイツと車で移動しているとき、不意に「今週号のエコノミストの記事だけど、あれどう思う？」って急に聞かれるんですよ。

ひろ　すげえ（笑）。エコノミストとか、英語で読むストレスとかはないですか？

成毛　英語で読むのはずっと面倒くさいと思ってたんですけど、今はグーグル翻訳ですぐに読めるじゃないですか。あれは本当に便利。

ひろ　記事を隅から隅まで読む必要もないですしね。

成毛　そう。意味がなんとなくつかめればいいですからね。そういう意味でもやっぱりデジタル版って便利ですよ。

ひろ　じゃあ、成毛さんは基本的にその3つをチェックしてると。

成毛　あと、カタールのテレビ局「アルジャジーラ」（ＡＪＥ）もけっこう見ていますよ。

ひろ　なんでまた？

成毛　世界で一番中立なメディアだと思うからです。たとえ中東問題であっても。まあ、ＡＪＥは東アジアのニュースは知ったこっちゃなさそうですが、それ以外の世界の話題だと速報性は一番かもしれない。現場にカメラが出るのもＣＮＮより早いときがありますよ。

ひろ　確かに、アフガニスタン周辺の国や地域は、西側のメディアは遅かった気がします。

成毛　で、今は中東などでも市民がスマホを普通に持っていて、何かあればすぐに撮影しますし、現地では「映像をＡＪＥには提供するけど、ＣＮＮには提供したくない」という人も多いんです。それは、西側じゃないからという理由だけでなく、ＡＪＥはかなりのお金を払って画像や動画を買っているというのも影響している。

ひろ　カタールは金持ってますもんね。

成毛　画像も映像も金を持っているやつが最後には勝つ。これはっかりはしょうがない。

ひろ　ってなわけで、見る価値のある情報は「どれくらいお金がかけられているか」が重要ですし、その点ではＡＪＥも強いし、ＮＨＫも強い。

成毛　そういうことですね。くだらないＳＮＳなんか見ないで、金がかかっているメディアを見るべきだと思いますよ。

友人の選び方、付き合い方

SNSを通して、知らない人と〝友達〟になることが簡単になった。では、たくさんの人から〝友達申請〟が来るふたりは、どのように〝友達〟を選んでいるのか？

ひろ　SNSの影響で、人と人がつながりやすくなっている時代ということで、今回のテーマは僕らが「友達付き合い」をどう考えているかです。

成毛　ひろゆきさんが普段つるんでいるのはどんな人なんですか？

ひろ　特に友達付き合いで意識していることはないんですよね。おもしろければそのまま関係が続くし、そうでなければ自然と疎遠になっていく。

成毛　「仕事になるかもしれないから、つながっておこう」なんて思うことは？

ひろ　あんまりないっすね。引きこもりの僕と違って、成毛さんは仕事でもプライベートでも知り合いがめちゃめちゃ多そうなイメージがありますけど。

成毛　この20年間で付き合っている連中は、3つのタイプに分かれることがわかったんですよ。ひとつは〝おもしろ研究者〟。「おもしろい研究をしている」のではなく、「人間としておもしろい研究者」です。例えば、理論物理学や分子生物学、鳥類学の研究者にはおもしろい人がいて、コロナ前は頻繁に飲んでいました。ふたつ目は〝編集者〟です。

ひろ　成毛さんは作家としても活躍されているので、編集者との付き合いはやっぱり仕事の側面が強いんですか？

成毛　もちろんそれもあるけれど、なんだかんだいって編集者や記者にはおもしろいやつが一定数いる。そして、3つ目は職種にかかわらず〝本当に変な人〟。普通に暮らしていると出会わないけれども、探すとぶっ飛んだ人はいるんです。そして、僕はこの3タイプの人たちを集めて「パルプンテの会」（＊パルプンテはゲーム『ドラゴンクエスト』シリーズに登場する魔法で、「何が起こるかわからない」呪文のこと）を開いているんです。コロナ前までは月1ペースでやっていました。

ひろ　だいぶカオスな会になりそうですね。ちなみに何人くらい参加するんですか？

成毛　メンバーは100名ぐらいなんですけど、日時を決めて全員に告知し、先着順に30名とか。例えば、普段はA Iの研究者なんだけど、プロとしてジャズボーカリストもやっている人、銀座の元ホステスさんで今は日本水商売協会の代表をやっている人、自衛隊の特殊部隊の創設者などがいます。あとはサメジャーナリストとか。

ひろ　ジャーナリスト？　サメの研究者じゃなくてですか？

成毛　そう。世界で唯一のサメ専門のジャーナリスト。その人はちゃんと論文も書いているんだけど、絶対に研究者だとは言いたくないらしいんです。なぜなら研究者だとサメの良さを伝えることができないから。そんなふうに「なんだこいつは⁉」と思うような人たちがたくさん集まるんです。

ひろ　パーティを開かなくても、そういう人たちとマンツーマンや少人数で飲む選択肢もあるじゃないですか。でも、成毛さんがハブみたいな感じになって一堂に会するのはなぜですか？

成毛　思いもよらない化学変化が起こるからです。例えば、パルプンテの会のメンバーに冒険家がいて、彼女はエンジンが壊れたヨットでニューギニア島まで行ったんです。

しかも、ヨットに乗ったのがそのとき初めて。もうこの時点でおかしいでしょ（笑）。

ひろ　むしろ、よく生きて到着できましたね（笑）。

成毛　そして、ニューギニアで初めてのロッククライミングをして、山の上まで登ったら、そこは食人習慣のある部族の村だったらしい。しかも、そんな場所でしばらく暮らしていたというとんでもないやつです（笑）。

ひろ　やばいですね（笑）。

成毛　でね、彼女は実はプロの歌手なわけ。森永製菓のCMの「モ・リ・ナ・ガ」も彼女の声。自分のエピソードをパルプンテの会で話すんですよ。すると、さっきの特殊部隊の創設者が「似たようなことがフィリピンでもありました」と話しだす。特殊部隊の訓練中に食人の習慣がある部族に会ったことがあるみたいで、とんでもない方向から話が盛り上がる。これがたまらない。

ひろ　まさか、そこでつながるとは。成毛さんはおもしろい人たちを集めて、彼らのコミュニケーションを楽しんでいるわけですね。

成毛　そうです。横で話を聞いていているだけで楽しいですから。

ひろ　その会に入るための条件は、成毛さんが決めるんですか？

成毛　そうですね。僕の知り合い以外は入れないルールです。紹介もNG。たまにいるんですよ、ダメだと言っているのに知り合いを連れてくるやつが。そのときには、次回からその人は呼ばないようにしています。紹介を許すとつまらない人が入ってきて、会全体がダメになってしまうので。

ひろ　成毛さん的には、その会で出会った人が仕事につながったらいいなみたいな願望はあるんですか？

成毛　そんな魂胆はありませんよ。でも、おもしろいネタがいっぱい生まれるので、この会がきっかけになって出版された本が10冊以上あります。

ひろ　編集者さんもいますし、絶好の出会いの場ですね。ちなみに今そばで聞いてる週プレの編集長が「自分がつないだ人同士が意気投合して、自分は関与させてもらえないと嫉妬をする人って多いんですけど、成毛さんにはそういう感情はないのかな？」と気にしてます。

成毛　嫉妬は一切ありませんね。僕は人と人をつなげて、自分は横で見ているのが好きなんです。

ひろ　でも、嫉妬する人は一定数いますよね。例えば、特定の人物とのパイプを持っていて、それを死守することで自分の価値を守るタイプの人なんかは典型です。

成毛　なので、嫉妬するような連中はめんどくさいから初めから呼ばないようにしています。まあ、別にその人たちが悪いわけではなくて、こっちの好みで勝手に呼んでいるだけですから。

ひろ　でも、そういったぶっ飛んだ人たちが集まると、出版に限らず、新規ビジネスが始まったりしますよね。会社をつくろうとかならないんですか？

成毛　それはあります。協力をお願いされたら手伝いますけど、僕の知らないところで始まるビジネスもけっこうある。すると、後日「成毛さんの会がきっかけで会社をつくることになりました。つきましては、成毛さんも投資をしませんか？」と誘ってもらえることも多い。こうなると、メリットはデカい。ベンチャーキャピタルの資金が入る前の段階で出資できたりしますから。

ひろ　それはおいしいっすね。成毛さん的には別に儲けようと思っているわけじゃなくて、純粋におもしろいから会を開いている。でも、結果的においしい話が舞い込んでくると。

成毛　そうですね。クレイジーな人たちは話を聞いているだけで楽しいので、これ以上楽しい友達付き合いはないですよ。これが今回のテーマの答えですね。

ひろ　というわけで、次元が高すぎてどれくらいの読者が参考になったかわかりませんが……（笑）。以上が友達付き合いについてのトークでした。

自分の頭でちゃんと考えるためには

このふたりのように「自分の頭でちゃんと考えたい」と思う人は多いはず。
では、どうすれば？

ひろ　今回のテーマは、編集部のリクエストで「自分の頭で考える方法」です。
成毛　僕がやっている方法はシンプルです。評価の高いちゃんとした本を読んで、その本の内容を受け売りするだけ。
ひろ　シンプルっすね（笑）。
成毛　でも、これを10年も繰り返していると「成毛さんは言っていることがちゃんとしている」と評価してもらえますから。
ひろ　ちゃんとした本とは？
成毛　例えば、フランスの人口統計学者エマニュエル・トッドの本。それまでは国際政治学者サミュエル・ハンチントンの『文明の衝突』の話をしていましたが、トッドがハンチントンの言っていることをクソミソに言っていたので、今度はトッドの受け売りをするようになりました。そういう本の受け売りをするのが一番いいんですよ。もっともらしく聞こえますから。

ひろ　それを続けてきて、今のポジションを築いている成毛さんが言うんだから信憑性はありますね。

成毛　ひろゆきさんは、どうなんですか？

ひろ　今回のテーマは「自分の頭で考える」ってことですけど、僕は自分の頭で考えないほうがよい派なんですよ。世の中、自分の頭で考えたほうがうまくいくのって、頭の良い上位1％の人だと思うんです。んで、残りの99％の人たちは頭の良い人が考えたものを、そのまま受け止めて使ったほうが断然よい。ってことで、成毛さんがやっている評価の高いちゃんとした本を読んで、それを話すってのは、僕の考えと共通しているのかなと思いました。まあ、成毛さんは1％の側だと思うんですけどね（笑）。

成毛　いやいやいや。僕も99％のほうですよ。とにかく、頭の良い人の受け売りをすればいいんですよ。

ひろ　「へたの考え休むに似たり」っていうじゃないですか。頭の悪い人が自分で考えると、例えば、「コロナワクチンは打つべきではないと判断した」みたいな変なことになっちゃうこともあると思うんですよ。ちなみに、受け売りする本を選ぶ基準はどんな感じですか？

成毛　全世界的な自由民主主義国圏の中で評価が高く、ベストセラーになっているような分厚い本の翻訳本がよいと思います。値段的には２０００円から５０００円くらいでしょうか。

ひろ　ってことは、トマ・ピケティの『21世紀の資本』とかも読んでいるんですね。

成毛　そうですね。

ひろ　でも、ピケティの本って日本でもはやってみんな買ってましたけど、いざ読もうとすると尻込みしちゃう本でもありますよね。

成毛　ただ、月に何冊も読まなくていいですから。受け売りしたくなるような本は、数年に1冊くらいの感じで出ている気がします。

ひろ ピケティと同じように、エマニュエル・トッドの本も面白くないんですよね。

成毛 あはははは（笑）。

ひろ エマニュエル・トッドのことをウィキペディアで見たら「あ、すごく役に立ちそう」と思ったので、本を手に入れたんですけど、５０００円もする分厚い本で、しかも面白くないから、一向に進まないという……（笑）。

成毛 ちなみに、ひろゆきさんがオススメする本はなんですか？

ひろ 僕的には5つの基準を満たしていたら面白い本なんです。それは「①今後10年以上も影響を与える技術や文化に関する話。②結論に至る経緯と理由に筋が通ってること。③資料から組み立てられていて、個人の感想を書いてるわけではないもの。④一般的な常識とは違う結論や発見があること。⑤読んでいて面白い」です。

成毛 その基準を満たすのは？

ひろ 例えば、人類史の謎に迫ったジャレド・ダイアモンドの『銃・病原菌・鉄』。『コンテナ物語』も良かったですね。先進国の製造業が不況になっているんですが、これって海上輸送費が異常に安くなったからなんです。今は人件費の安い国で生産した製品が低コストで輸入できるようになっている。んで、その海上輸送に重要な役割を果たしているのがコンテナなんです。

成毛　コンテナ物語は、僕も全推しです。あれは面白いですよね。

ひろ　あとは進化史について書かれたニック・レーンの『生命、エネルギー、進化』ですね。多くの子供は「命ってどうやって生まれたの」って聞いてきますが、この本によると、今のところ「海底のアルカリ性の温泉が湧くところで生まれたんじゃね?」という説が強いらしいです。ってことで、僕が面白いと思う本は、10年以上たっても知識が古くならないようなものが多いです。

成毛　で、その内容をドヤ顔で受け売りすればいいんですよ。ただ、自分から「この本の中身はこうでしたよ」とは話さない。概要にひと言つけ加えるくらいです。僕が言っている受け売りは、本に書いてあることをなんとなく解釈して、その話を自分が思いついたように話すということ。だから〝引用〟じゃなくて〝受け売り〟なんです。話しているときは「僕が思いついたんだ」くらいの勢いになっていると思いますよ。

ひろ　あはは（笑）。でも、本をいっぱい読んでいると、なんの本から得た知識なのかわからなくなったり、引用元がこんがらがることはありますよね。んで、次第に自分が思いついたんじゃないかと勘違いすることもある。

成毛　そうそう。それに本の受け売りをしていると、ときどき自分の思いつきが加わることもありますからね。だから、それを続けているとなんとなく賢そうに見えるというのが僕の戦略です。

ひろ　ちなみに、成毛さんは著者としてもたくさん本を出していますけど、自分の本の内容が受け売りされることは意識していますか？

成毛　僕の書いている本は、ひと言でいえば「面白ければいい」んです。人に何かをちゃんと伝えるつもりはありません。例えば科学史がテーマなら、科学史という落語を読んでいるような感覚になってくれればいいんです。実は今、科学史をテーマにした本を執筆しているんです。でも、「○世紀に××が発見されました」というつまらない年代記にはしたくない。そういうのは、めちゃくちゃつまらないじゃないですか。

ひろ　僕もオススメ本の条件に「読んでいて面白い」を入れていますけど、これって大事っすよね。

成毛　そう。僕もめちゃめちゃ本を読んできましたが、結局、面白いから読んできただけなんですよ。トッドもハンチントンも「ためになるから」なんて思っていない。だから、読んでいてわからなくなったらウィキペディアを開いて「あ、エマニュエル・トッドは、あの本の中でこういうことを言ってたんだ」って確認していますから（笑）。で、それを次の日に居酒屋さんに行ったりして、いろんな人に話すわけです。で、10回くらい話すとだんだん精緻化してきて、自分が考えたような話になってくるんですよ。

ひろ　なるほど。じゃあ、読者の人はその成毛さんの本を読めば受け売りできるし、仲間内で賢いキャラにもなれるでしょうね。

成毛　そうかもしれませんね（笑）。

会話の最中に意識していること

どんな相手ともトークを弾ませる、会話上手のふたりは何を意識して話しているのか。
これであなたも〝論破王〟になれる⁉

成毛　前回の「自分の頭で考える方法」というテーマは、最終的にはふたりとも〝自分の頭で考えずに受け売りをしろ〟という結論になりましたね（笑）。ちなみに、ひろゆきさんがトークなどで意識していることはありますか？

ひろ　知っている知識があっても、話の流れを遮らないように、あえて触れないことはありますね。それやると「とにかく話したい人」になって嫌われたりするじゃないですか。

成毛　具体的には？

ひろ　例えば、以前、成毛さんが戦史について話していたときに「これってユウさんくらいしかわからない」って言ったじゃないですか。あのときに僕は、「あ、軍事評論家で東京大学先端科学技術研究センターの小泉悠さんのことだろうな」と思ったんですよ。でも、その場には誰のことかわかっていない人もいたはずです。だからといって、あのタイミングで「それって小泉悠さんですよね、知ってます」とは言わないようにしているんです。

成毛　なるほど。でも、多くの人は言いたくなりますよね。

ひろ　それをあえて言わないようにしている。でも、「ちゃんとわかっていますよ」ということは、必要なときにだけ出すようにするんです。すると、「あ、この人はちゃんとわかっているんだな」と、多くの人は誤解してくれますから。

成毛　誤解してもらうと（笑）。

ひろ　要所要所で追いついている感を表現するだけで十分かなと思っています。

成毛　そういえば「ユウさん」と言ったのは、小泉さんの名字をド忘れしちゃったからなんですよ（笑）。僕、名字を覚えるのが本当に苦手で……。何をやっている人かとか、過去にどこで会った人かは覚えているんですが、名字が全然覚えられないときがあるんですよ。

ひろ　僕も名前は覚えられないですね。前回の話題で出てきたトマ・ピケティも、顔は浮かんでいるんですけど名前をド忘れしたので、成毛さんにバレないようにこっそりググってましたから（笑）。

成毛　ひろゆきさんも僕と同じなんだ（笑）。

ひろ　成毛さんが会話で意識していることってありますか？

成毛　誰かの発言に対して、とりあえず反論は考えています。そして、自分の反論が正しいか、またはその場のウケがいいかどうかを瞬時に評価しています。他人の発言をそのまま受け入れるのではなく、どんな会話でも必ず一回は逆を考えていますね。言うかどうかは別として。

ひろ　いわゆる逆張りってことなんですかね。

成毛　そうでしょうね。例えば、「やっぱり東京都心だと、電車のほうがタクシーより早く移動できるよね」という発言を聞いたときには、「いや、タクシーのほうが早い」という事例を頭の中で4つくらい考えるんです。もちろん、それを言うかどうかは、そのときの雰囲気次第です。本当になんでも反論を考えているので、居酒屋さんで「この魚はおいしいね」と言われても、「その魚がおいしくない理由」をとりあえずは考えてしまう（笑）。

ひろ　頭の体操にはなりますね。

成毛　そうですね。で、実際に反論するかどうかは、相手の知性のレベルも見ています。会話のキャッチボールができそうか？　みたいなことを評価しながらやっています。まあ、一種のディベートなんですよ。

ひろ　確かに、ディベートっすね。ディベートは、あるテーマについて、異なる立場に分かれて議論をするわけで、例えば自分は死刑に賛成でも「反対派」のチームに入れられたら反対する理由を論理的に考えないといけない。

成毛　そうですね。だから、僕も意地悪で反論を考えているわけではないんです。「確かに、この魚はうまい」と思っても、わざわざ反対を考えているんですから（笑）。

ひろ　たぶん癖ですよね。

成毛　そうですね。ひろゆきさんもそういう考え方をしますか？

ひろ　僕はアマノジャクなので、そういう一面はあるかもです（笑）。でも、別に反発してやろうとかじゃなくて、反論することで話を膨らませることができるんじゃないかって思うからです。ある発言があって、そこにちょっとしたボールを投げると「こうだから、こうなんだよ」って、もっと詳しい説明が返ってくることもある。そっちのほうが楽しいし、自分にとっても役に立ったりするので。

成毛　そうそう。しつこいようだけど、僕だってけんかしようとしているんじゃないんですよ。「そっちのほうが面白いじゃん」と思ってやっているだけですから。逆張りとはそういうことです。

ひろ　でも、会話を広げて楽しくなるようにと思って反論するんですが、変なタイミングで言ってしまったせいで空気が悪くなることもけっこうあるんですよね。

成毛　ははは（笑）。

ひろ　あと、僕はよく「論破キャラ」っていわれてますが、それはエンタメのショーとして求められる役を演じている部分があるんです。当たり前ですけど日常生活で論破みたいなことはしませんよ（笑）。

成毛　そりゃあそうですよね。友達がいなくなりますよ（笑）。でも、相手がアホだなと思ったら、それなりに地雷を埋めているんじゃないですか？

ひろ　え、そう思います？

成毛　最近のひろゆきさんを見ているとそう思いますね。そして、その地雷の埋め方がめちゃくちゃうまい。反論を引き出すんじゃなくて「つい、言っちゃうだろうな」というところに、そっと地雷を置いている。

ひろ　でも、そういうのは話を引き出そうというのではなく、議論を見ている人にわかるように情報を出そうと思っているからなんですよ。

成毛　というと？

ひろ　最近番組の収録であったのは、エネルギーの専門家が出てきて、「今後、原油が足りなくなって高くなる」という話をしていたんです。でも、一方でOPEC（石油輸出国機構）の原油って無限にあるという説もある。だから、僕は「原油が足りなくなるというデータってないですよね」って確認したんですよ。

成毛　はいはい。

ひろ　すると、その専門家は原油の埋蔵量はわからないとは言わなかった。その代わり、

「サウジアラビアが原油以外でビジネスを伸ばそうとしているのは、原油の枯渇の可能性があるからだ」という話をしたんです。このときに僕が考えていたのは、その専門家を打ち負かすことではなく〝この議論を視聴者がどう見るか〟なんですよ。視聴者が「ああ、そうなんだ。原油はなくなるんだ」と思うのか「原油の枯渇というデータをこの人は出さなかったな」と見るか。僕は「専門家といえども原油がなくなるというデータって持ってないんだな」ということを視聴者に受け取ってもらえればいいと思って、それを引き出そうとしていたんです。

成毛　なるほど。やっぱり、ひろゆきさんに論破されそうな場には出ちゃダメだな。この対談は平和に続けられて本当によかったですよ（笑）。

投資先の情報をどう得ているか？

今は投資家が本業の成毛さんだが、どのように投資する企業を選んでいるのか、どんな視点で会社を見ているのか。

ひろ　成毛さんは、自分でも把握できないくらい多くの会社に出資をしているみたいですが、その投資先ってどうやって探しているんですか？

成毛　知り合いの会社以外だと、ネットの記事を参考にすることがあります。たまに引っかかるキーワードが出てくるんですよ。最近だと『日経クロステック』の記事を見て「常温核融合」の技術が気になりました。

ひろ　あ、何か特別な情報源というより、一般人でも読める記事がきっかけなんすね。

成毛　そうですね。で、この超電導が面白いんです。とっくに枯れたような技術だと思われているけど、実際はものすごく研究が進んでいるらしい。特に日本の研究者が研究しているものがうまくいきそうで、2年後ぐらいには核融合炉にも応用できるんじゃないですかね。欧州連合はITER（国際熱核融合実験炉）を建設していますけど、20年後にはそこらじゅうに核融合炉ができているかもしれない。これはすごい話ですよ。

ひろ 超電導というキーワードが引っかかって詳しく調べて、これはイケそうだと思ったら、その技術に投資するわけっすね。

成毛 そうですね。ほとんどの新技術はキーワードで検索して、見つけ次第、投資しようとしています。

ひろ へぇ～。

成毛 そもそも、僕の本業は投資業ですから。「この10年間、何で一番稼ぎましたか？」と言われたら投資が99％です。書籍も売れていますけど、印税での稼ぎは1％くらい。

ひろ まあ、本が売れても巨額の印税はもらえないですからね。

成毛 ほかにも細かい技術にたくさん出資しています。ただ、ビジネスモデルには出資しないんです。例えば「飲食店を大規模にチェーン展開しました」とか、「今あるビジネスをIT化しました」とか、そういったことには興味がない。

ひろ　なるほど。でも、その投資スタイルだと収益化までに時間がかかりませんか？

成毛　けっこうかかります。ミドリムシで注目されていたベンチャー企業の「ユーグレナ」の場合は10年以上かかりました。

ひろ　でも、ビジネスモデルに出資するよりは、時間がかかっても安全だからいいのか。

成毛　安全というよりも、投資業界にはトラックレコード（過去の運用実績）の問題があるんです。これが大事で、そのトラックレコードをつくっている面もあります。

ひろ　逆にトラックレコードがないとどうなるんですか？

成毛　僕らは「投資ラウンド（投資段階）」でいうと、ベンチャーキャピタルが入ってくる「シリーズA」（事業が本格的に動きだした段階）の前に投資しているんです。ここで投資するには「成毛のところは、○社と□社と△社に出資していて、ちゃんと成果が出ている」みたいに信用がないといけない。そして、信用してもらってシリーズAの前に投資できれば、企業価値が上がる前のほぼ原価の値段で買うことができる。そりゃあ、儲かりやすくなりますよ。ＩＰＯ（新規株式公開）すら待つ必要がないですし。

ひろ　投資するタイミングが遅くなると値上がりしているので、ちゃんと儲けるにはＩ

ＰＯまで待たないといけないですもんね。

成毛　あとは、僕らが出資していた分を証券会社やファンドに売るとき、創業者に少し戻すようにしてもらうんです。

ひろ　というと？

成毛　例えば、シリーズＣ（黒字化した安定期）の段階で出資する人がいたら、彼らに僕らの株を売るとき「創業者にデット（借り入れによる資金調達）をしてあげて」と言うんです。

ひろ　それをやる理由は何？

成毛　これをすると、創業者の持ち株が増えますよね。僕らがそういう条件を言ってあげると「シード段階（商品がリリースされる前）の投資は成毛さんに出してもらうといいよ」という噂が回るんです。

ひろ　なるほど。普通は創業者の持ち株って、出資が増えていくにつれて減っていくじゃないですか。ヒドいときには、ＩＰＯしてもベンチャーキャピタルばかりが儲けて創業者には大した資産が残らないこともある。でも、成毛さんに出資してもらうと創業者が得しやすい仕組みになっていると。んで、そういうブランディングができているので、成毛さんはさらに投資がしやすくなると。

成毛 シリーズAの前に5000万円出資して、それが5億円とかになるので、チョロチョロやっていてまあまあ儲かるんですよ。

ひろ 創業者にメリットがある形をつくる成毛さん、うまいな～。

成毛 例外は、ユーグレナですね。あの会社はうまくいくことが確定的だったので、長く持ち続けていました。でも、ほかは基本的に3年くらいでエグジットします。だいたい出資した額の10倍になるイメージでしょうか。「もっと持っていたら儲かるのに」とか「もったいない」と思われるかもしれないけど、実際にはそこから会社が潰れるリスクもあるので。

ひろ そうですね。上場するのはまた別の話だし、上場した後に利益が維持できるかもまた違う。ちなみに、そういうノウハウはマイクロソフトで働いているときの経験からですか?

成毛 2000年にマイクロソフトを辞めたとき、ほかの幹部も3分の2くらい辞めたんですよ。で、全員がお金を持っていたので、ベンチャーキャピタルをつくった。アメリカのやつは「イグニション」、ヨーロッパのやつは「インサイト」、われわれは「インスパイア」という名前で。そして、これらの会社で投資のプロセスやストラテジー（戦略）といった情報を交換したんです。

ひろ へー、マイクロソフトOBと関係は続いているんですね。

成毛 アメリカのOB連中とはいまだに仲が良いですよ。逆に日本のマイクロソフトのOBとはあまり付き合いがない。

ひろ 日本って、大企業の社長でも退任したら、ただの人になる。だから、会長とか相談役とかで一生懸命残ろうとしますよね。

成毛 僕らは違います。いきなり全員で辞めて「みんなでなんか面白いことをやろうぜ」という話になりましたから。

ひろ 日本の大企業の人たちが居座り続けるのは、お金の問題もあるんでしょうね。結局、社長を辞めても、ほかのことをやるほどの豊富な資金がないですから。

成毛 そうでしょうね。僕がマイクロソフトを辞めたのは45歳でしたけど、ストックオプション（会社の株をあらかじめ決められた価格で購入できる権利）を持っていましたから。日本の大企業で働いていて、まとまった資産をつくろうと思ったら給料だけでは絶対に無理だし、ストックオプションをもらえるわけでもない。だから、大成功したいというならできるだけ早く大企業を辞めて自分で会社をやるしかない。

ひろ　そうでしょうね。

成毛　日本にもたまにいますよね、大企業を辞めて独立する人が。そういう人を目指すべきですね。

21世紀型の資本調達法「社債転換型トークン」とは？

株式を通じた資金調達の代わりに、
トークンで資金調達をする会社が出てきているという。
それが21世紀型の企業になる、という話。

成毛　前回、僕がやっている投資についてお話ししましたよね。実は今、社債転換型のトークン（代替通貨）を発行しているNPOにも投資しているんですよ。

ひろ　社債転換型のトークンってなんですか？

成毛　従来型の「株式を通じた資金調達」の代わりに「トークンで資金調達をする」というやり方です。そのトークンを買うと社債に転換することができる。発行数が限定されているので、株式のような感覚で投資ができる。これは少し前の話ですが、みんなで都内のマンホールを撮影するというゲームが話題になったことがあるんですよ。

ひろ　はいはい、ありましたね。「#マンホール聖戦～東京23区コンプ祭り～」。東京23区のマンホールを撮影・投稿するとポイントや特典がもらえるという企画。あれって老朽化しているインフラをゲーミフィケーションを使って見つけようという試みですよね。

成毛　ええ、大まかに言うと『ポケモンGO』みたいな感じですね。老朽化したマンホールを見つける調査って、相当の時間がかかっていたはずなんです。そりゃあそうですよね。担当者たちが実際に足を運んで調査していたわけですから。例えば、23区には約47万基のマンホールがありますが、すべてのマンホールの調査をしようとしたら100人のチームでも1年くらいかかるんじゃないですか？

ひろ　すると、優先的に直さないといけないマンホールや下水道の発見が遅くなりますよね。

成毛　それをこのゲームなら2週間ほどで終えてしまった。そして、一般の人が撮影してくれたデータを見れば傷んでいるマンホールがどこにあるかわかるし、自治体はどこを優先的に整備していけば効率的かわかるわけです。これはいわば「市民参画型のインフラ情報プラットフォーム」ですよね。で、このプラットフォームの運営や提供をしているのが「WEF（Whole Earth Foundation／ホール・アース・ファウンデーション）」というNPOなんです。

ひろ　お、本題になってきたっぽいですね。このNPOと社債転換型のトークンがどう関係しているんですか？

成毛　WEFがトークン転換社債によって資金調達を行なったんですよ。つまり、投資家に対して転換社債付きトークンを売り出し、お金を集めた。数ある僕の投資先の中でも、一番注目しているのはここなんです。

ひろ　これまで数々の投資をしてきた成毛さんが、なんで社債転換型のトークンに注目してるのか気になりますね。

成毛　というか、株式による資金調達は20世紀型だと思っています。21世紀は、発行枚数が決まっているトークンで資金調達する時代になるかもしれない。例えば、今の東京証券取引所は、上場している企業に対して四半期ごとに業績などを報告させるでしょ。すると、ものすごいショートタームでの投資になりやすい。

ひろ　はいはい。「直近では儲かっていないけど、長期的にはガンガン儲かります」ということが難しくなりますよね。長い目で見られなくなる。

成毛　でも、これが株式ではなく、トークンになれば、四半期ごとに決算しなくてもいい。そして「うちの会社は、10年間は儲かりません」というスタンスも成り立つ。それはアマゾンが株式市場でやっていたことでもあるんです。

ひろ　アマゾンって利益を積極的に先行投資に回していたので、売り上げが大きい割に黒字が少なかった。むしろ赤字が続いていた頃もあったくらいですよね。でも投資家たちはアマゾンの積極的な投資を支持していた。普通の上場企業だと、利益が長期間出ない状況はなかなか続けられないですよ。

成毛　でも、トークンを使った資金調達なら、株式市場では難しかった長期間にわたる投資ができる。それに、投資家のみならずユーザーもステークホルダー（利害関係者）になりますよね。つまり、さっきのマンホールの例でいえば、写真を撮ってくれたプレイヤーに賞金という形でトークンを渡すことができる。すると、トークンを持っている人が増えるわけだから、結果的にマーケットも大きくなっていく。

ひろ　言われてみればそうですよね。まあ、昔はトークンとかもなかったし、株式のほうがわかりやすかったというのはあったんでしょうけど。

成毛　でも、この社債転換型トークンは、理解するのがちょっと面倒くさいので、従来型の投資家や証券会社は何を言われているのかわからないと思います。

ひろ　でも、成毛さん的にはこれから来ると。

成毛　これって21世紀型の資本調達法のひとつだと思います。今後かなりメジャーになるんじゃないですか。僕の投資もこっちにシフトしていますから。

ひろ　すでにちゃんと理解している法人は乗り出しているみたいですね。WEFは日本鋳鉄管から2億9800万円を調達していて、世界初のトークン転換社債で資金調達をしたとニュースになっていますから。ちなみに、WEFがNPOという形になっているのは、株式を発行しないからっすよね。

成毛　まさに。「NPOだから利益を目的としないうんぬん」じゃなくて、株式を発行しないからNPOという位置づけになる。株式を発行していたら株式会社になりますからね。

ひろ　でも、NPOって「ノン・プロフィット・オーガニゼーション」なので、要は非営利の団体ですよね。でも、一応利益（プロフィット）は出すので、そういう意味で言うと純粋なNPOではないですね。まあ、これも20世紀型の名残って感じっすね。うまく当てはまる枠組みがないからNPOになるという（笑）。

成毛　そうですね。いずれ世界の誰かが正式な名称をつくると思いますよ。その普遍的な名前を誰か考えついたら、それが21世紀の会社のタイプになるでしょうね。株式会社や有限会社の流れで「トークン会社」になったら、例えば「株式会社　集英社」じゃなくて、「トークン会社　集英社」になるイメージです。しかも、トークンの市場ってすでにありますからね。

ひろ　そういう意味でも、今後盛り上がっていく可能性は十分にあると。

成毛　だから、この話はあまり大きな声では言わないようにしているんです。特に知り合いの一部の金持ち連中にはね。なぜなら、気づかれたら絶対に一枚嚙もうとしてきて面倒くさくなるに決まっているんで（笑）。

ひろ　うは、誰のことだろう？（笑）。でも、WEFのニュースなんかはすでに公開されている情報ですし、気づかれるのは時間の問題だと思いますよ。

成毛 まあ、情報感度が高いやつばかりじゃないから、1年くらいは時間が稼げると思うので、それでいいんですよ。

ひろ そうなんですね。ってなわけで、今回は成毛さんが本当は黙っておきたかった貴重なお話を聞けちゃいました。

大きな選択をするときには、プランBを持つ

「大成功」をしたいなら、大企業から早く独立したほうがいいという成毛さん。
ただし、そのときは〝プランB〟を持つこと。
そして、さらに、あったほうがいいものとは？

ひろ　前回までは投資がテーマでした。ストックオプション（会社の株をあらかじめ決められた価格で購入できる権利）で大金を手にしやすいアメリカと違って、日本は大企業の社長でも一生遊んで暮らせるようなお金は手に入らない。しかも退任後は〝普通の人〟になってしまうから、相談役みたいな形で会社にい続ける人が多いという話でした。

成毛　経済的に大成功したいなら、できるだけ早く大企業を辞めて自分の会社を立ち上げるほうがいいですよね。大手出版社の名物編集者で、独立する人もいますが、あれですよ。

ひろ　そういう行動って、出版業界の人たちはどう思っているんですかね。作家とのコネクションがあるから独立するわけですが、そもそも出版社に就職していなかったら、そのコネクションは手に入らなかったわけで。古巣の出版社の人からすると「おいしいとこだけ持っていきやがった」と思っているんじゃないですかね。

成毛　それこそ、週プレの編集長に聞いてみましょう。

編集長　人気作品の漫画家を連れて会社を辞めた編集者は何人か知っていますが、古巣時代に出したヒット作を超えるような作品はほとんど作れていないと思います。優秀な編集者であることは間違いないのですが。

ひろ　確かに、古巣時代に生まれた漫画がその後もヒットし続けていても、独立後、新たにヒットした作品はない気がします。編集長的にはなんでだと思います？

編集長　漫画って漫画家さんと編集者だけで作っているようですが、見えないところで多くの人に支えられている。実は、その部分がかなり重要だからだと思います。

成毛　なるほどね〜。編集者としては独立していった人たちにはどんな感情を持っているんですか？

編集長　正直、「結局、独立後も昔の作品で食っているのか……」と。古巣時代のヒットを超える作品を生み出していたら、ジェラシーも感じると思いますが。

ひろ　ほうほう（笑）。

編集長　作家さんに限らず、古巣時代に親しくなった著名人のパイプなどで独立したものの、うまくいかなかったケースもたくさん見ていますね……。

ひろ　ってことは、もし独立するんだったら55歳くらいのタイミングで早期退職して、退職金をもらいつつ、自分のコネクションのある作家さんと組んで、ヒット作関連の仕事を10年くらいするのがいいかもしれないですね。んで、頃合いを見て解散して、老後はそこそこ安泰で暮らす。

編集長　ただ、その独立した編集者が漫画以外のビジネスで当てるケースも時々あって、そこは純粋にすごいなって思うんですよ。

成毛　それって、成功するスタートアップの典型例ですね。要は、当初予定していたプランがうまくいかなくても、プランBで成功する。ベンチャー企業も独立した編集者やサラリーマンも、プランBを持ってない人は厳しいってことですね。

編集長　そう思います。

ひろ　プランBの作戦が実行できるくらいのお金をプランAでためておき、プランAが成立しなくなったときには芽が出ているプランBで食っていくみたいな。

成毛　ベンチャーではよくあることですけどね。あとは資金力かな。知り合いに、本に1ミリも興味がない出版社の社長がいるんですよ。確か外資系コンサル出身だったと思いますが、儲かりそうだからと出版社を立ち上げた。最初は大丈夫かと心配していたけど、結局、立派な出版社になっちゃった。彼は、資金があったんですよ。

ひろ　つまり、最初に資金がないとダメだと。元も子もない話ですけど、まあ事実ですよね（笑）。

成毛　でも、何億円もいらない。2年ぐらい生き残れる資金でいい。

ひろ　どんなにいい事業でも、当たるまでは時間が必要ですからね。どれくらいの時間で当たるかは予測不能なので、当たるまで耐えられるかどうかっていうことが、実は超重要だと。

成毛　そういう意味だと、僕がマイクロソフトを退社してすぐの頃、よく地方自治体から講演の依頼が来ていたんですよ。テーマは「日本にビル・ゲイツをつくるにはどうしたらいいか」。バカかと。

ひろ　あんなの簡単に出てこないっすよね（笑）。

成毛　そうです。まずひとつは、ビル・ゲイツは天才ですから。もうひとつは、ビル・ゲイツがマイクロソフトをつくったのは１９７５年で、「Ｗｉｎｄｏｗｓ95」で有名になったのは１９９５年。

ひろ　20年かかっていますよね。

成毛　しかも、あの天才がやって20年。だから、そういう講演を頼んでくる連中は、そのへんにいる若者を捕まえてきて、５年ぐらいでマイクロソフトが出来上がると思い込んでいるのかもしれない。

ひろ　講演を依頼するくらいビル・ゲイツに興味があるなら、ある程度調べればいいのに、興味があるけど調べない人は、日本には多いかもしれないですね。

成毛　ほかにも、自分の知識に対して謎の自信を持っていたり、大したことを知ってるわけでもないのに、自分は知識人だと思っている人も多い。そういった連中がＳＮＳで批判的なコメントを書いてくるんです。僕のフェイスブックにも的外れのコメントをしてくる人がけっこういる。すぐにブロックしますけどね（笑）。

ひろ　興味があるのに、調べないのはなんなんですかね。自分で勝手に思い込んでいるものが、正しいと信じているんですかね。

成毛　受験勉強のしすぎかもしれないですね。つまり、与えられた知識がすべてだと思っている可能性もある。

ひろ　あー、「この中に答えは必ずあるはずだ」みたいな。

成毛　そう。「自分にはもう知識がコンプリートされている」みたいな人。その点、アメリカ人は「実社会は厳しい」ということを体験している人が多いから、日本人みたいに夢見がちじゃないんですよ。

ひろ　日本人って、周りと同じってだけで安心する人が多いですよね。例えば、僕がフランスに住んでいるってことで「フランスでは今、何がはやってますか？」って聞かれることが多いんです。それは僕がアメリカに留学していたときにも同じでした。でも、フランスでも地域によってはやっているものは違うので「アメリカやフランス全体ではやってるものはありません」って答えてるんです。

成毛　反対に日本には全国的なブームがありますよね。

ひろ　しかも、そのブームを知らないとネガティブな感情を持たれたりする。タピオカがはやったときには、タピオカを飲んでないと「遅れている」みたいに思われますよね。反対にみんなが知らないことは、自分が知らなくても安心している。

成毛　そのとおり！　……って今回はなんの話でしたっけ？（笑）

ひろ　またもや脱線しちゃいましたね（笑）。まとめると、何か大胆な選択をするときはサラリーマンでもプランBを持っておけと。んで、2年くらいは持ちこたえられる資金も持っていたほうがいい。それに、日本人は自分の思い込みを信じすぎる傾向があるので、疑ってかかれってことですかね。

アートはビジネスの世界で役立つか？

「アートを学ぶとビジネスの世界で役立つ」と少し前に話題になった。それは本当か？

成毛　少し前に「ビジネスエリートはアートを学ぶべき」という風潮がありましたよね。

ひろ　ありましたね（笑）。まあ、アートの知識はないよりはあったほうがいいとは思いますけど、同じように古典や聖書、ゲームや映画の知識だって、あったほうがいい。

成毛　そのとおりですね。知っておいたほうがいいものは、アート以外にもたくさんありますから。

ひろ　「ないよりあったほうがいい」と「これがなければダメ」は別の話だと思います。一方で、日本はヨーロッパに比べるとあんまりアートが普及していないのは事実ですよね。

成毛　なんでだと思いますか？

ひろ　ひとつには、気候の影響があると思います。アートが盛んなヨーロッパは湿度も低いし、作品を100年単位で放置していても、ホコリをかぶるくらい。「古い家を買ったら倉庫から絵画が出てきて何十億もの価値になった」なんて話もありますよね。でも、日本って多湿で木造住宅が多いので放置していると腐るし、火事で燃えるリスクもある。ってなわけで、日本人がアートに疎いのは環境的に仕方ないんじゃないかなと。

成毛　なるほど。日本の庶民がまともにアートに触れたのは、江戸時代の浮世絵ですかね。でも、浮世絵も箱の中にしまっておいて、たまに出して見る楽しみ方だったみたいで、壁にかけて見ていたわけではない。

ひろ　今住んでいる家に絵を飾っているんですが、それって元からあったものをそのままにしているだけなんですよ。自分から絵を買ったことはないです。でも、日本の若いコってポスターを張るじゃないですか。アイドルやアーティストの写真の延長でアートにいきそうなのに意外といかない。

成毛　あと、アートギャラリーが信用できないというのもあると思います。一部のギャャラリーはバブルのときに平気で人をダマしていたじゃないですか。

ひろ　街を歩いていると、キレイなお姉さんが「絵画に興味ありませんか?」って誘ってくるじゃないですか。あれって、一部は高額な絵画を販売する絵画商法で有名ですよね。

成毛　あれはヒドいですよ。

ひろ　あんな詐欺的なことを放置している時点で、日本のアートギャラリー業界はおかしいような気がします。

成毛　ちなみに、ひろゆきさんは美術館によく行きますか?　それこそ、フランスには有名な美術館がたくさんあるじゃないですか。

ひろ　パリでは第一日曜日は美術館が入館無料になったりするので、ちょこちょこ行ったりしますね。

成毛　無料のときを狙っていくんですね(笑)。

ひろ　ええ。成毛さんは美術館行きます?

成毛　ここ10年くらいは行っていないですね。というのも、日本の美術館は混みすぎて行きたくないんですよ。例えば「東京国立博物館」（台東区）で特別展が開催されたら、入場まで2時間待ちとかざらにあるじゃないですか。

ひろ　美術館に行ったことがある人も、行くのは常設展じゃなくて特別展だったりしますよね。

成毛　そうですね、混んでいるのは、ほとんど特別展です。

ひろ　ちなみに、フランスの美術館は常設展のレベルがすごく高いんです。日本の美術館って特別展をやって人がたくさん来てくれないと成り立たないビジネスモデルだと思うんですけど、特別展のために毎回有名な作品を借りてくるんだったら、その分のお金をためておいたほうがいいと思うんですよ。例えば、「ルーブル美術館」を訪れる観光客の目当てって、ほとんどが「モナ・リザ」です。ほかの作品は、ついでに見るくらい。なので、日本の美術館も「モナ・リザ」クラスの作品を一個ドーンって買ってしまえばいいんじゃないかと。

成毛　美術館のビジネスモデルでいうと、美術館はインバウンド客目当てという側面もありますよね。でも、それをまともに日本でできる観光地は京都くらいです。ただ、京都には神社仏閣などほかに見るべきものが山のようにあって、美術館どころじゃない。観光需要向けに美術館をつくっても難しいんじゃないですかね。

ひろ　確かに。例えば、千葉県あたりが、東京に来ている外国人観光客を引っ張るために、デカい美術館をつくるとかだったらいけそうな気がしますけど。

成毛　実は千葉には「ホキ美術館」（千葉市緑区）というスーパーリアリズム絵画専門の美術館があるんです。外国人の入館客も多い。でも、千葉市の端っこにあってアクセスが悪い。もっと都心寄りのいい場所にあればインバウンド需要が取れたんでしょうけどね。

ひろ　そういえば、僕の知り合いの外国人は「刀剣博物館」（東京都墨田区）に行く確率が高いんです。「大英博物館」に飾ってある剣とかは、さびてボロボロだったりするじゃないですか。でも、刀剣博物館は鎌倉時代の太刀とかがキレイな形で残っているんですよ。

成毛　外国人からしたらオーパーツ感がありますね。つまり、大昔のものなのに、今でもキレイに残っていると。

ひろ　刀剣博物館はもう少しうまくプロモーションしたら、もっと外国人が来ると思うんですけどね。刀剣もアートとして世界中に向けて発信していくと、ちゃんと儲かりそうな気がします。あと茶器とかも、ちゃんとプロモーションされてないですよね。戦国時代に「国ひとつ分の恩賞」っていわれていた茶器とかが、いまだに美術館とかにこっそりあったりするじゃないですか。都内のアクセスのいい美術館とかにあったら、たくさんの人が見に行くと思います。

成毛　でも、日本って展示がへたなんですよね。ここ10年、美術館や博物館に行っていないから今の状況はわからないんですが、地震対策なのかひもでグルグルと作品が縛りつけられていたりする。せっかく見に行っても、「あれー？」って思っちゃいますよ。

ひろ　見せ方とかプロモーションに、もうちょっとコストをかけたほうがいいですよね。てなわけで、いつもどおり話が脱線しました（笑）。

成毛　なんの話でしたっけ？　あ、ビジネスエリートとアートの関係でしたか。

ひろ　まあ、最近のアートといえば、ＮＦＴ（所有証明書付きデジタルデータ）アートとかになってくると思うんですが、もはやアートの文脈ではなくＩＴビジネスの文脈ですよね。

成毛　確かにそうですね。

ひろ　んで、NFTだって詳しく知っている必要はないと思います。結局、西洋絵画もNFTも浮世絵も、さわりぐらい知っていて話ができれば十分じゃないかと。

成毛　そうですね。繰り返しになりますが、知っておいたほうがいいものは、アート以外にもたくさんありますから。

ひろ　ですよね。ただ単に雑談時の話題のつくり方の問題な気がします。印象派について詳しく知らないんだったら知らないなりに話を聞いてればいい。自分は日本の茶器とか刀が詳しいんだったら、その話をすればいい。

成毛　そのとおり。

なぜ、フランスでは木彫りの熊の置物が「アート」になるのか？

海外では、マンガやアニメはアートと思われている。
一方で、日本ではアートと考える人は少ないようだ。
今後、その価値観は変わっていくのか？

ひろ　アートといえば、フランスの知り合いが日本の木彫りの熊の置物を40万～50万円くらいで買ったらしいんですよ。

成毛　あの、北海道のお土産屋さんとかでよく売っているやつですか？

ひろ　ええ。「あんなの誰が買うんだろう？」と思っていたら、フランス人が高いお金を出して買ってました（笑）。

成毛　それは意外ですね。そう考えると、日本国内ではよく見るものでも、外国人にとっては貴重なものが多くありそうですね。ほら、地方の家に行くと床の間に〝日本のお宝セット〟が飾ってあるじゃないですか。ウミガメの剥製とか小判セットとか。

ひろ　謎の鹿の角とか、それこそ木彫りの熊の置物とか（笑）。

成毛　そうそう。

ひろ　日本にいると驚かないですけど、外国人からすると珍しいですからね。

成毛　外国人からすると、木彫りの熊の置物はクールなアートなんでしょうね。こんなふうに何がアートになるかわかりませんよね。実は、僕はアートの定義があいまいだと思っているんです。

ひろ　というと？

成毛　ブームにもなっていないものが何十年後かに立派なアートになっている可能性がありますよね。例えば、東京五輪の開会式で披露されたピクトグラムのパフォーマンスが外国人にはけっこうウケたという話がありました。だから、しばらくするとあれが世界的なアートパフォーマンスになるかもしれない。まあ、僕個人としてはアートパフォーマンスになるとは思っていませんが（笑）。

ひろ　まあまあ（笑）。

成毛　とにかく、予想しないところからアートとして評価されるものが出てくるかもしれないということです。もしそうだとしたら、多くの人が「こんなものアートじゃねえよ」と思っているような単なるチョコレートの包み紙のデザインが、将来的にアートになる可能性もある。そのへんはフランスにいてどう思いますか？

ひろ　フランスのアートで今たぶん一番売れているのは集英社の商品なんです。フランスでは、18歳の若者に文化芸術活動をサポートするという目的で「文化パス」という約4万円分のクーポン券が配られます。そして、この文化パスで購入されたものの多くが日本のマンガでした。しかも、一番買われたのが『鬼滅の刃』だといわれています。なので、アート大国といわれているフランスで、若者たちに一番売れているアートって、実はマンガなんです。でも、日本では「マンガはアートじゃない」という風潮があるじゃないですか。僕的にはそれは間違いなんじゃないかなと思っています。

成毛　日本人が気づいていないだけで、そういうものはほかにもいっぱいあるんでしょうね。例えば、ゴジラなんかもアートになる可能性はありますよね。

ひろ ですね。海外ではマンガやアニメ、映画はアートとして受け入れられていると思います。

成毛 あと、日本のデジタルコンテンツ会社「チームラボ」もそうですよね。チームラボは、10年くらい前からデジタルアートの活動をしていて、アメリカのシリコンバレーの連中は、そのデジタルアートを「日本のアートチームが作った素晴らしいアートだ！」と評価しているようです。

ひろ 外国ではアートとして評価が高いのに、当の日本人が「これはアートではない」みたいに思っているのが不思議です。だから、『鬼滅の刃』も「これは世界中で大人気のアートです」と胸を張って宣伝すればいいと思うんですけどね。

成毛 ちなみに、週プレに掲載されているようなグラビアは、アートにはならないんですかね？　編集長はどう思っているんでしょう。

編集長 カメラマンやグラビア担当編集の間に、「グラビアにアート的価値を持たせられないかな」という願望が昔から一部であるのは事実ですが、水着グラビアは発売された時点ではなかなかアートとして見てもらえないのも事実です。一方で、数十年前のグラビア写真がアート的に、例えばファッションアイコンとして受け止められるようなケースはけっこう多かったりするんですよ。だから、この問題を解決するのは時間なのかも。

成毛　そう。時間がたつとアートとして見られるようになるものは多い。

ひろ　日本人は「身近なものはアートではない」という価値観を持っていますよね。その意味では「マンガやグラビアは身近すぎるからアートではない」と勘違いをしている人は多そうですね。だから、今後、「アートって身近なところから生まれるものだよね」という空気になれば、グラビア写真にも高い値段がつくんじゃないですか。んで、グラビアの原版をリトグラフとかにしてシリアルナンバーをつけて500枚限定とかで売ったら、けっこう買ってくれるかもしれませんよ。

編集長　印刷物ではないけど、それと近い話がNFT関連で来ています。ただ、まだちょっと迷いがあって。

ひろ　なんですか？

編集長　NFTのマーケットプレイスって、クリエイターが直接売買できるのが特徴じゃないですか。だからタレントさんや所属事務所、あるいはカメラマンさんが直接売るのはよいんだけど、そこで週プレがグラビア写真を高値で売買したら、なんか中間搾取に見えちゃわないかと……。今、タレントさんとファンがつながれるSNS社会において雑誌の存在意義が問われていて、その答えのひとつはやっぱり雑誌が世界観をつくれるかだと僕は思っているんですが、それと同じ感じで、NFT市場で週プレが何をできるか考え中です。

ひろ 売り上げを事務所と折半するとか、いろいろ方法はあると思いますよ。

成毛 あと、「グラビアは恥ずかしいもの」というイメージはどうなんですかね。

ひろ でも、村上隆さんの「マイ・ロンサム・カウボーイ」というフィギュアは、約16億円で落札されましたよね。村上隆さんの作品って、男のコの性器から白い液体が出ていたり、大きな胸の女のコが自分の母乳で縄跳びをしていたりするんですけど、あれは「世界でも評価された高尚なアートで決して下品ではない」というとらえ方をする人もいます。アートの分野って、何が下品かというのがよくわからない感じはありますよね。

編集長　そうですね。ただ、これもさっきのNFTの話とちょっと重なるんですが、クリエイター個人が前面に出てやる分には感情移入されやすいけれども、編集部などの組織がやると顔が見えづらくて値段もつきにくい気がしません？

ひろ　個人のほうが評価されやすいっていうのは確かにあると思います。だから、チームラボも「代表の猪子《いのこ》寿之の作品です」といって売り出したら、もっと世界中で有名になると思うんですけどね。

成毛　そうかもしれませんね。まあ、本人はやらないと思いますけど……。

ひろ　でも、もったいないですよね。ってことで、アートというと日本人は西洋画とかそっちばかりを意識しちゃいますけど、実は身近なところにあって、例えばマンガとかの形で日本人は普段から当たり前に目にしているってことですね。

成毛　そのとおりです。

世代が変われば、日本も変わる

人口の多い団塊の世代が、今の世論をつくっている。では、今後、その世代がいなくなればどうなるのか？　考え方を変えれば、日本の未来は意外と明るいと、ふたりは語る。

ひろ　ウクライナ情勢の影響もあって、エネルギー価格が高騰してますよね。んで、さすがの岸田文雄首相も原発再稼働を言い始めるかと思いきや、まさかの「省エネ」を国民に呼びかけてました。２０２２年夏の参院選対策なんでしょうけど、有権者たちは、どれだけ原子力発電にアレルギーがあるんですかね。

成毛　それも時間の問題だと思いますよ。いわゆる「団塊の世代」（１９４７年～49年生まれ）と呼ばれる安保闘争で騒いでいた人たちが寿命を迎えると、原発再稼働も国民の顔色をうかがう必要がなくなると思います。まじめな話、「時代が変わる」というのは、

「世代が変わる」ことです。団塊の世代がいなくなることが、日本の最大の変化になるんじゃないですかね。

ひろ でも団塊の世代の人たちにも若者だった頃もあったわけで、当時から考え方は堅かったんですかね？

成毛 ほら、あの世代は戦後間もない頃に生まれたので、原爆投下の影響がかなりあると思います。それに、共産主義の影響を受けて安保闘争や市民運動も盛んだったので、日本政府が嫌い。

ひろ それに、今は年間の出生数が100万人を割っていますけど、団塊の世代が生まれたときは260万人を超えていました。人が多いと競争も激しくなりますよね。

成毛 受験や就職だけでなく、会社に入ってからも出世競争が待っていますからね。退職するまで、ずっと競争し続けた人たちです。

ひろ それで勝ち残るのはほんのひと握り。つまり、敗者の人数が多すぎる世代。

成毛 そして、競争に負けてしまった理由を自分ではなく、社会のせいにして世の中を恨んでいるんじゃないですかね。

ひろ　それは確実にありますよね。人は周りの動きを見て考え方を決めますし、特に日本人はその傾向が強いですから。ただ、それでいくと就職氷河期世代だった僕ら世代（70年〜80年生まれ）も社会を恨んでいる人が多そうな気がします。ＳＮＳなどに文句ばかり書いたり、女性蔑視とかやっちゃうのも、この世代が多いっていわれていますから。

成毛　やっぱり、そうなんですか。

ひろ　彼らも不遇で、大卒だけどフリーターっていう人が普通にいます。とはいえ、フリーターでも30歳ぐらいまでは同世代の正社員と月給はそんなに変わらない。ところが、30代以降になると徐々に差が開いていき、気がつくと大きな差になってしまっている感じです。

成毛　ちなみに今、65歳前後の僕らの世代と75歳前後の団塊の世代は、お互いに憎悪している気がするんですよ。

ひろ　僕ら就職氷河期世代も、ゆとり世代（87年〜２００４年生まれ）を憎悪……というかバカにしている節がありますよね。ゆとり世代は、就職が楽だったり、何かと恵まれていたので。

成毛　なるほど。

ひろ　ってことで、社会と経済の状況で人の考え方は決まる気がしています。

成毛　まあ、そうですね。

ひろ　でも、今の若者はけっこう恵まれているから、そういう意味ではこれからの日本は良くはなりそうな気もするんですよ。

成毛　僕もそう思いますよ。最近の若者たちは本当に純粋で、例えば心の底から「社会のため」「世界のため」とかって行動するじゃないですか。

ひろ　本気で正義を実現しようとしている若い元気な人たちって、けっこういますよね。

成毛　いきなりアフリカに行って地道に人助けしてくる人たちとかね。「同じ日本人なのか⁉」と思うくらい考え方が違う。

ひろ　んで、彼らってこれからもピュアな心のままいくと思うんです。今後、日本経済は落ち込んでいくと思いますが、実は会社の利益と社員の待遇ってあんまりリンクしていないんですよね。だから、就職してからしばらくは、幸せなまま子育て世代に突入するんじゃないかと思います。

成毛　同感ですね。GDPをはじめとした経済指標と個人の幸せはあまりリンクしていない。日本ってメシが安くてウマいじゃないですか。「それで、十分幸せだからいいじゃん」と考えることもできる。

ひろ　多くの人がちゃんとした飲食店で昼食を取るのって、先進国だと日本くらいじゃないですか？　フランスはランチにサンドイッチとかを持ってくる人が多いですし。

成毛　新鮮なすしが100円で食べられるとか異常ですよ（笑）。給料が高くなくてもウマいメシが食えるから、そこまで悲惨さがないんです。アメリカなんか年収1000万円でもなかなか外食に行けないという人が増えてますよ。

ひろ　あと「マイホームは持つべき」みたいな思い込みを捨てれば、意外と出費も少ないですからね。

成毛　マイカーもそうですね。地方はしょうがないけれど、都心ではもはや不要でしょ。

ひろ　で、メシがウマくて仲のいい友達がいると、人は割と幸せに生きられる。「世界トップレベルの経済大国」みたいなプライドを捨てれば、日本は住み心地のいい国だと思います。

成毛　多くの日本人は外国の実情を知らないですよね。例えば、イギリスではロンドンの中心部から地下鉄で30分も行けば低所得者だけの町が当たり前のようにある。アメリカも同じようなものです。しかし、日本人が持つアメリカのイメージって、マンハッタンみたいなキレイな場所を思い浮かべるわけでしょ。フランスだと、パリジェンヌたちがみんなバゲットを持って街を闊歩《かっぽ》しているとかね（笑）。

ひろ　そんなのパリの一部の人たちですよ（笑）。

成毛　そうやって勝手なイメージをつくり、自分たちと比べることで「日本人不幸せ論」を感じる人は多いんじゃないかな。

ひろ　ありもしない幻想をつくり上げて、それに憧れてもしょうがないですよね。「ほかの国の庶民ってけっこうキツいよ」ってことがちゃんと伝わるようになれば、「日本って割といい国だよね」って思えるようになりますよね。

成毛　あと、僕は若手議員にも期待しているんです。自民党の若手議員たちは、教育レベルがめちゃめちゃ上がっているんですよ。今までは東京大学卒で官僚といった経歴が主流でしたが、今は海外の大学を出ていたり、大手の外資系コンサルからMIT（米マサチューセッツ工科大学）に行った人とか粒ぞろいなんです。若手といっても議員なので40代ですが、20年後、彼らが政権の中心を担うようになると、日本はかなり変わると思いますよ。

ひろ　読者の人たちは20年後、どうなっているんですかね。

成毛　大事なのは、楽観的に生きることですよ。結局、将来的にサバイブしているのは、未来を楽観視している人たちです。楽観的になると行動も変わりますから、そういう人が結果的には成功する。反対に未来を悲観しすぎる人は、不幸になる確率がめちゃくちゃ高いと思います。

ひろ　肌感覚ですけど、確かにそれはありますよね。ってことで、読者の皆さんは楽観的に生きていきましょうってことですね。

第3章

メタバース、仮想通貨、デジタルのこれから

MAKOTO NARUKE
×
HIROYUKI

コロナ禍で日本のデジタル化は進んだか？

コロナ禍によってリモートワークなどが増え、日本のデジタル化は進んだといわれている。それは今後も続くのか、一時期のものなのか。

ひろ　僕は、日本でもっとリモートワークが普及すると思ってたんですけど、意外とそうでもない感じですね。

成毛　どういうことですか？

ひろ　例えば、コロナ禍で僕が住んでいるパリの地価は下がりましたが、パリから車で1時間くらいの都市の地価は上がったんですよ。日本だと「本厚木が住みたい街ランキングで1位になった」というニュースはありましたが、都心からガッツリ人が流出したという話は聞かないですよね。

成毛　まあ、不動産価格が上がっているのは東京ですからね。

ひろ　リモートワークができるのに都心に住むのはもったいないと思うんですよ。千葉県とか神奈川県に引っ越せば、同じ家賃で海沿いの広い家で楽しく暮らせたりもできるわけですから。

成毛　僕の仕事場は熱海のマンションなんですけど、非常に快適です。新幹線なら約40分で品川に着きますから。

ひろ　最近は「出社する」流れが復活しつつありますけど、そういう会社って費用対効果が悪いので、どんどん潰れていくと思うんです。「出社がマスト」だと都心のアクセスのいい場所にそこそこの広さのオフィスが必要ですよね。すると、どうしてもコストがかかる。

成毛　リモートワークに移行している会社と比べると、コストは大きくかかりますよね。

ひろ　なので、結果的にリモートワークを推奨しない会社は、淘汰《とうた》されていくんじゃないかと思うんです。

成毛　まあ、日本の「コロナ禍」はまだダラダラと続いていくでしょうしね。

ひろ　あ、そうっすか？　フランスは、日常が戻りつつありますけどね。

成毛　日本人の習性として、集団免疫を獲得するまでは、ビビってダラダラと自粛を続けていくんじゃないかと思います。そう感じたのが第5波（2021年8月ピーク）のときです。第3波（21年1月ピーク）と第4波（21年5月ピーク）のときは、政府の言うことを聞かないで出歩く人も多かったのですが、都内の新規感染者数が5000人を超えたあたりから「これはヤバい」とみんなが思い始めた。そして、政府に言われなくても勝手に自粛するようになりましたよね。でも、東京都の人口は約1400万人ですからね。

ひろ　ですよね。日本に第5波が来た頃、フランス人は普通に外出していました。新規感染者も死者も増えてましたけど、フランスは「感染しても知ったこっちゃない」という感じで「経済を戻す派」でした。日本は「感染が怖い」から、「ひたすら経済を止める派」でしたよね。

成毛　ですから、コロナ前のような状況に戻るのは何年も先でしょうね。そうなるとコロナが収束したからといって、「オフィスに出社する流れに戻る」なんていう心配は不要だと思います。

ひろ　ですね……。

成毛　不思議なのが、通常の肺炎で毎年約10万人が死んでいるのに、そういう数字を気にせず、とにかくコロナで死者が出たら大騒ぎをするという風潮です。ちなみに誤嚥性肺炎での死者は、これに加えて約4万人。

ひろ　僕が不思議に思うのは「コロナに感染するのが怖いのなら、もっとIT系のサービスを駆使すればいいのに」ってことなんですよ。スーパーに買い物に行くのがいやならウーバーイーツを頼むとか、雑菌だらけの現金を使わないでキャッシュレスにするとか。しかも、専門的な知識は不要で、ちょっと学べばできることですよね。それなのに使おうとしない。

成毛　それは高齢者だけの問題じゃないですよね。僕はコンビニのレジを待っているときに、しょっちゅうイラつくんです。会計が286円だったら、50円玉のお釣りがほしいからといって、一生懸命、財布の中にある小銭を数えて336円を払う人がいるでしょ。あれ、若い世代でもいますからね。

ひろ　僕、今年現金を使ったのって数回程度ですよ。むしろ現金を使うほうが珍しい。なので、日本の小銭ジャラジャラ文化を見ると、日本はまだまだ昭和だなと。

成毛　現金派はクレジットカードに対する不信感がありますよね。「お金を使っている実感がない」とか「ついつい使いすぎてしまうから」とか言いますが、「使いすぎる」ってどういうことなのか。中学生でもお小遣いの自己管理はできるでしょう。

ひろ　アプリなら使用明細が見られますし、クレジットカードは不正利用されても補償される。「そもそもお金がない」と嘆く人もいますが、それならよけいにクレジットカードを使うべきなんです。年会費無料でも、ポイント還元率が1％のカードとかがたくさんあって、それを使えば実質1％引きで買えるわけですから。

成毛　僕なんてクレカにひもづけたモバイルSuicaを使ってポイントの二重取りをしているくらいですよ（笑）。でも、その横で小銭を出している人がいる。もはやデジタル化以前の問題。

ひろ　目の前に便利なものがあっても、それを使おうとしない。日本は先進国の中でも一番低い経済成長率です。それはIT系の活用が遅れていることがひとつの原因といわれているじゃないですか。

成毛 そうですね。そんなレベルなので、デジタルを活用するのが、遅れに遅れるのは当然。「カードだと、お金をつい使ってしまう」なんていうのは、すべてのデジタル化を阻む原因ですよ。だって、便利になってほしいとか生産性を上げてほしいという要求がないわけですからね。

ひろ それって「自分は頭が悪くて、新しいことを覚える気がない」と表明しているようなもので、本来、恥ずかしいと思うべきことじゃないですか。

成毛 いや、恥ずかしいと思ってないかもしれませんよ。むしろ、昭和の頃のほうがそういったコンプレックスを持っていた。

ひろ 昔は「自分はわからないから、頭のいい人に任せよう」という感覚がありましたよね。でも、今って中途半端に頭の悪い人が、「俺がわからないのはおまえのせいだ。わかるように説明しろ」っていう流れがある。

成毛 それはSNSの影響が大きいかもしれませんね。論理的にものが考えられない人にも発言権が与えられたでしょ。しかも、日本語は読めても、文章の意味をきちんと理解できない人も多い。

ひろ　昔は、ある程度の知性がないと、メディアで発言する機会もなかったわけですからね。

成毛　そうやってSNSで発言し、自分はまともだと思って、自分の価値観で生きる。まあ、それはアメリカ人も同じですけどね。

ひろ　それでもアメリカが成長しているのは、とんでもないバカがいる一方で、一部の天才がすごいシステムを作って帳尻を合わせているからですよね。でも、日本はどっちもいないから悲惨な状況だったりします。

成毛　だから、日本のデジタル化が進むのはもう少し時間がかかりますね。

ひろ　ですね（笑）。

〝安い国・日本〟は、どこを目指せばいいのか？

デジタル化が進まない。
経済が悪化し、円安が進んでいる。
そんな日本の未来は？

ひろ　前回は「日本でデジタル化が進まない理由」でした。成毛さんによると、その要因のひとつは、コンビニでジャラジャラと小銭を使って支払う客だと……。

成毛　そうですね。電子マネーを使えば利便性がいいだけでなく、ポイント還元もついてくる。使わない理由はないはずなのに、それでも現金を使い続ける。そういう思考は「便利になったほうがいい」という欲求がないわけで、デジタル化を阻む原因になります。まあ、だからといって、すべてが悲観的だとは思っていませんけどね。

ひろ　というと？

成毛　もちろん、コンビニのレジで待たされるのは腹が立ちますよ（笑）。ただ、「リープフロッグ（一足跳び）」があると思っているんです。中国で電子マネーが急激に進んだのは、紙幣の製造技術が低く、かつ治安が日本ほど良くないからでした。つまり、偽札が横行したり、高額紙幣を持ち歩くのが怖いという理由があった。そのため、スマホを使った決済が急速に広がった。

ひろ　「電子マネーにしないと怖くてしょうがない」という側面があったわけですね。

成毛　でも、日本では偽札をつかまされることはまずないし、数万円持ち歩いていても安全。電子マネーに進化する大きなきっかけがなかった。ただ、次のタイミングで、中国のような現象が日本でも起きるんじゃないかと。現金から電子マネーに急速に変わったような僕らの想像を超えることが起こるんじゃないかと思っています。

ひろ　歴史的に見ても日本は「浮世絵」など世界でも珍しい文化をつくっちゃいましたからね。

成毛　すると、今の世代は負けていても、次の世代で勝てるかもしれない。

ひろ　ただ、ある程度隔絶されていないと成立しないかもですね。浮世絵って、鎖国していて外国の文化がほとんど入ってこない状況だったから独自の進化を遂げた。今は、なまじ西洋の文化が見えちゃう時代なので。

成毛　さすが、ひろゆきさん。一発で論破されちゃった（笑）。確かに「隔絶していないと成立しない」というのはいえていますね。

ひろ　例えば、アフリカなんかでは固定電話の回線が整っていないし、パソコンが先進国みたいに普及していない。でも、安いスマホは多くの人が持っているってことで、モバイル決済やモバイルバンキングが世界に先駆けて普及しましたよね。これもリープフロッグのひとつですが、日本はこうしたインフラもある程度、すでに整っているんですよね。

成毛　そうですね。僕は、まだガラケーを使っていた時代にベトナムを旅行したら、農家の人が普通に携帯電話を持っていて驚いたんですよ。でも、よく考えたら固定電話の回線が引かれていないから、そうなるのは当然だった。

ひろ　んで、日本はリープフロッグを起こしそうな先進的な技術も政治や行政が潰しちゃうんですよね。例えば、日本のラジコンヘリコプター業界って世界の先端を行っていた。その流れがあったので、ドローン技術でも世界を席巻することができたと思うんですよ。でも、ドローンが出てくると危険だとかいろいろな理由をつけて法律で規制してしまった。結果的に日本のメーカーは壊滅的になりました。

成毛　確かに、規制の問題はありますね。

ひろ　日本は「まったく新しいもの」が出てきたときに「寄ってたかって潰す」国民性がありますよね。先進国でセグウェイが公道を走れない国って日本だけじゃないですか？　なので、パーソナルモビリティが普及しているヨーロッパと比べるとビックリします。日本では、昔と移動の方法が基本的に変わってないんですよ。車と自転車と徒歩。「昭和のままだな～」と帰国するたびに思います。ということで、技術はあっても法律で規制するので、リープフロッグも起きづらいかなと。

成毛　そういう日本の特徴を示しているのが、ロケットの打ち上げで失敗したときですよ。あれは〝実験〟なんだから、失敗してナンボ。たくさん失敗して「どこが失敗するのか」をわかったほうが得なんです。10回失敗して課題を全部潰せたら、11回目からはバンバン飛ぶわけだから。

ひろ　「失敗を多くした人は、同じ失敗をしないから安全」というふうに考えられるんですけどね。まあ、日本にはない感覚ですけど。

成毛　ないですね。

ひろ　絶対に失敗しないコツは「何もしないこと」なので、結局、失敗もしていないけど、何もしていない人がトップになる。すると何も進まない。

成毛　そこに病根があるとしたら、この日本は10年や20年では変わらないでしょうね。日本はこのまま経済的にも昔のような勢いは取り戻せないと思っています。

ひろ　経済的にダメになった国は、物価が安くなりますよね。この前、スイスのバーガーキングに行ったらふたりで5000円もしました。なので、日本に帰ると物価がめっちゃ安いと感じるんですよ。しかも、治安もいいしサービスも行き届いている。すると外国人から人気の国になる。コロナが収束したら、インバウンド需要は激増して観光業界や飲食業界はうまくいくんじゃないかと思います。

成毛　おっしゃるとおり。通貨の実力を測る総合的な指標である「実質実効為替レート」

で見ると、日本円は適正レートの7割くらいだと思うんです。これは輸出産業にとってはお得な状況ですけど、考えてみれば日本にまともな輸出産業なんてなくなってしまいましたよね。みんな海外で生産している。一方で観光業界や飲食業界はポテンシャルが高くて、今度はそっちが主力産業になっていくはず。すると、このまま円安でいいと(笑)。

ひろ　そうなっちゃいますよね。

成毛　こういう話をすると「円安になると、外国製品を輸入するときに不利になる」と言われますが、実は日本が主に輸入しているモノってそもそも安くなってる。今、原油価格は上昇してますが、東南アジアやインドなどからの輸入品価格はそもそも安い。中国も投げ売りを始めるかもしれない。だから、円安になってもあんまり困っていないんです。「日本が安くなった」と騒がれていますが、僕はこのまま推移すると思うな。

ひろ　昔のように家電メーカーや自動車業界が世界を席巻して、ガンガン輸出して稼ぎまくる時代を目指さなければ、日本は意外といいポジションになれると思うんですよ。

成毛　そう。だから、僕は「日本はスペインを目指せ！」と思っています。

ひろ　スペインは経済的には微妙ですけど、治安がよくて長寿の国で、ご飯もおいしいし、ダラダラ過ごしていても国民は幸せそうですよね。

成毛　観光地もたくさんあって食べ物もおいしいので、日本も同じポジションが狙えます。

ひろ　昔の栄光にすがって経済大国を目指すよりは、スペインのようなポジショニングのほうが現実的で、実はお得なのかもしれませんね。

メタバースはうまくいくのか？

バズワードになっているメタバース。メタ（元フェイスブック）社は、この事業に約1兆円を投資するというが、果たして成功するのか？

成毛　2021年10月にフェイスブックが「メタ」に社名を変更しましたね。「メタバース（仮想3次元空間）」の構築に力を入れると。

ひろ　でも、厳しいんじゃないですか。昔からオンラインゲームの世界って、仮想空間のような場所だったじゃないですか。3次元ではないだけで。

成毛　ええ。僕は『ファイナルファンタジー（FF）XI』を4000時間くらいやっていた時期があるんですよ。その頃「インスパイア」という会社を立ち上げていたんですが、ずっとゲームをしていて会社には行かなかった。すると、困った部下が黒魔道士になってFFの世界に現れて、「成毛さん、明日取締役会があります」と（笑）。

ひろ　超ウケます（笑）。

成毛　僕はその頃、狩人をやっていて、FFの世界で狩人と黒魔道士が翌日の取締役会についてチャットをしていた。その隣を骸骨のモンスターとかが歩いているわけです（笑）。で、今回のメタバースも20年くらい前に僕らがやっていたことと大きく変わらないと思います。もしかしたら、メタのCEOのマーク・ザッカーバーグはゲームをやったことがないのかもしれない。

ひろ　FFでいえば、『FF14』の有料会員は世界で約70万人いるんですよ。んで、彼らは仮想空間でプレイしている。そう考えると、IT系の人たちってゲームのことに興味ないのかもですね。

成毛　結局、これまで普通にゲームをやってきた人間からすると、メタバースの構築といわれてもピンとこない（笑）。ただ、1兆円以上投資するらしいので、NFTやトークンエコノミーで儲けるのかもしれません。例えば、メタバースの中に証券取引所やトークン取引所をつくったりして。

ひろ　でしょうね。ただ、ゲームだとRMT（リアルマネートレーディング）をするのは微妙なんすよね。多くのゲームメーカーが禁止してますし、儲けるためにリアルマネーに変換する部分をつくると急につまらなくなるというジレンマがある。

成毛　メタ社は、VR（仮想現実）のヘッドセットやプラットフォームを開発してきた「オキュラス」のブランドも廃止しましたよね。VRについてはどう思います？

ひろ　まだオモチャの域を出てないっすよね。10年ぐらいすればマシになるかもしれませんが。

成毛　VRではなく、AR（拡張現実）のほうが将来性はあると思いますね。フェイスブックのオキュラスではなく、マイクロソフトのホロレンズのほうが世界を変えるんじゃないですか。

ひろ　ARのほうが本命ですよね。現実世界に情報をプラスするので、例えばホロレンズに搭載されたカメラで、人物の認識ができるようになる。すると「お久しぶりです」と急に声をかけてきた人のことをフェイスブックとか名刺管理サービスの情報に照らし合わせて、その人の名前や簡単なプロフィールを表示してくれたりとか。そういう感じで自分の見ている世界に、情報を付加してくれる技術ってめっちゃ便利ですから。

成毛　例えば、今歩いている場所が「戦国時代に織田信長が戦った場所です」といった情報が出てくるおじさん向けの歴史ARも出てくるかもしれない。僕は警察小説が好きなんだけど、そのうちに刑事全員がメガネをかけているかもしれない（笑）。

ひろ　もちろん、VRの需要がゼロだとは思いません。例えば、ものすごい精緻なカメラが搭載されたドローンを使って、「自分が顔を動かせば360度映像が自由に見える」みたいなサービスとかはありですよね。でも、結局はバーチャル観光とか不動産の内見とかになってしまうので、仮想空間である必要はない。あくまで「360度カメラって便利だよね」って話なんです。いろいろ考えていくと、VRは3Dテレビに近い運命にある気がしますね。

成毛　3Dテレビなんてものもありましたね（笑）。

ひろ　普及しなかったのは、3D専用のコンテンツを作るコストが高すぎたからです。でも、スマホが360度カメラになるようになれば、世界中に撮影者がいるわけで、勝手にコンテンツが増えていく。んで、それはVR空間じゃなくても360度カメラの映像を再生できるプラットフォームがあればいい。

成毛　メタバースで気になるのは、アバターの文化的ギャップの壁ですね。国によって好まれるアバターって違うじゃないですか。例えば、「北欧の人はフェイスブックのアバターは嫌いと言っていた」という話を聞いたことがあるんですよ。

ひろ　英語圏でLINEはあんまり伸びていませんよね。その一因が「スタンプが使われない問題」だといわれているんです。日本や一部のアジアではやったのは、スタンプのおかげといわれています。一方で、英語圏ではスタンプなどの絵柄的なもので感情の表現をすることに忌避感があるらしい。「明確な根拠を出せ」と言われても難しいんですけど、そういう気配は感じるんです。

成毛　確かに、アニメも日本のアニメが好きなアメリカ人は一定数いますが、ほとんどのアメリカ人はカートゥーンアニメに慣れている。マーベル・コミック文化圏ですよね。フェイスブックが作ったアバターはアメリカの人には受け入れられるけど、アジアでは忌避されるなんてことも考えられますね。

ひろ　日本ってマンガはすぐにアニメ化されますけど、アメリカだと実写CGが多いですよね。それは実写CGのほうが親近感あるってことなんでしょうね。

成毛　やっぱりアバターのタッチって大事になってくると思います。

ひろ　ゲームとかスタンプなら「そういうものだよね」と割り切れますけど、仕事や普段のコミュニケーションで使うものとしては厳しそうっすね。メタバースにチャンスがあるとしたら、現在タイピングやフリックなどを通して行なっているコミュニケーションが、身ぶり手ぶりで伝えられるようになることかもしれません。

成毛　かといって、身ぶり手ぶりも文化的なタブーがたくさんありますからね。自国ではいい意味のハンドサインが、他国では侮辱行為というのはよくある。

ひろ　確かに、ピースサインや親指を立てるサムズアップですらNGになる国もありますね。となるとメタバースの可能性は、例えばアバターを使うシーンで考えると、脳波がある程度読めるようになればいいかもしれないです。

成毛　というと？

ひろ　例えば、現実世界のように体がひとつしかないと、ひとつのビデオ会議しか出席できません。でも、ヘッドセットで自分の考えを読み取って、それを自動で再構成して複数のアバターで表示できるようにすれば、体はひとつでも複数の会議に出席できるようになるのかなと。

成毛　なるほど。

ひろ　そこまでいけばメタバースのアバターは便利かもしれないですけど……やっぱり、なかなか難しそうっすね。

成毛　結論は「やっぱりメタバースは難しいんじゃゃね」ですね。

ひろ　ですねぇ。

成毛　僕たちが思いつかないようなおもしろいものができる可能性もありますけどね。いずれにせよ、構想しているような世界が来るには時間もお金もかかる。むしろ、それまでフェイスブック改め、メタ社自体が持つかどうかですね。

メタ社の将来性

メタ社が構築するメタバースの実現には莫大な時間とお金がかかる。同社は今後どうなるのか？そして、プラットフォームビジネスの明暗を分けるのは何か？

成毛　僕は『2040年の未来予測』という本で「米GAFA（Google、Apple、Facebook、Amazon）の中でフェイスブックが潰れる」と書いているんですよ。メタバースに社運をかけているわけでしょ。うまくいかないと本当に潰れてしまうかもしれない。

ひろ　そもそも、SNSサービスとしてのフェイスブックって、ツールよりもコミュニケーションの場として人気を集めてきたんですよね。でも今は、おじさんユーザーばかりのメディアになってしまった。サービスとしてのフェイスブックの寿命は、時間の問題じゃないですかね。

成毛　でも、メタ社は２０１２年にインスタグラムを買収して、若いユーザーを取り込みましたよね。

ひろ　そうやってメディアを買収するのはいいんですが、この分野ってはやり廃りが激しいじゃないですか。だから、スナップチャットとかティックトックとか、新しいものが出ると若いユーザーはそっちに行く気がします。

成毛　僕ははやり廃りというより、ＳＮＳの「所得階層と年齢階層による細分化」がさらに進むと思っています。コンテンツの形が短い動画になろうが、ＶＲになろうが、僕が18歳の女のコと同じＳＮＳで話すことはない。何を話していいかわからないし、そもそも投稿されている内容の何がおもしろいのかが全然わかりません。当然、向こうだって同じことを思っているはずです。

ひろ　それは確かに（笑）。

成毛　リアルな社会がそうじゃないですか。リアルな社会のコミュニティがそうなっている以上、ＳＮＳも同じように細分化していくでしょうね。

ひろ　そうなるとフェイスブックはやっぱり厳しそうですけど、僕は『Messenger（メッセンジャー）』サービスは今後も残り続けるんじゃないかと思ってます。あの機能って、コミュニケーションの場ではなく、ツールとしての要素が強いので。

成毛　僕は、メッセンジャーはいつかダメになると思います。例えば、改行キーを押すと挙動がおかしくなったり、似たような問題がよく起こることがあって、メタ社のプログラマーのレベルの低さを感じるんです。エディターすらまともにプログラミングできない。昭和かって（笑）。

ひろ　ただ、サービス自体はそれなりに世界中に広まっているので、先行者利益みたいなものはありそうですけど。

成毛　メッセンジャーで便利なのは、友達登録さえしていればメッセージが送れることですよね。相手の名刺を持っていなくても、メールアドレスや電話番号を知らなくてもメールが送れる。強みは、友達検索能力が強いだけ。

ひろ　それって、LINEが携帯の電話帳に入っている情報を利用して、自動的につなげちゃうのと一緒ですね。

成毛　まさにそうです。例えば、新しいメッセージアプリが出てきて、「フェイスブックを立ち上げれば友達情報を同期します」とほかのサービスに友達情報を吸い取られたら大きな脅威になる。それがメッセンジャーより使いやすいアプリだったら、ひとたまりもない。

ひろ　フェイスブックがこのまま機能の改善を怠っていたら、十分ありえそうですね。

成毛　そもそも、プラットフォームは外部性をつくると有利になるんです。サードパーティを増やす。つまりフェイスブック以外のプレイヤーが、フェイスブック向けのアプリをどれくらい作ってくれるかにかかっている。そして、そのアプリの質と量がプラットフォームの強みになる。このサードパーティの重要性は、マイクロソフト時代に強く思い知ったんですよ。

ひろ　お、何があったんですか？

成毛　約30年前に『一太郎』（ジャストシステム）というサードパーティの魅力的なワープロソフトを使いたくて、多くのユーザーがマイクロソフトの「ＭＳ－ＤＯＳ」を選んだんです。結局、プラットフォームが支持されるには強力なアプリが必要ですし、キラーコンテンツになるようなアプリはプラットフォーム側が想像しないようなところから出てくることが多いんです。

ひろ　そうっすね。今スマホがはやっているのも魅力的なアプリがたくさんあることが重要ですし。

成毛　その点、フェイスブックは厳しい。メタ社が構築するメタバースにサードパーティがたくさんアプリを開発してくれるイメージがまったく浮かびません。なぜなら、メタ社はワッツアップやインスタを買収していることでもわかるように、自分たちで独占したがる傾向がありますから。

ひろ　確かに、フェイスブック上でプレイできるゲームメーカーってほとんど消えちゃいましたからね。例えば『ジンガ(Ｚｙｎｇａ)』とかは、けっこうはやっていましたけど、いろんな制限を設けて「フェイスブック上でゲームをプレイする」という文化自体を自分たちで潰してしまった。

成毛　フェイスブックは生き残るためのプラットフォームのセオリーに反しているんだから、失敗するのも当然じゃないですか。

ひろ　でも、サードパーティに制限をかけるのは仕方がないのかも。さっき言ったみたいにフェイスブックの友達を引っこ抜けるサービスが新たに出てきたら自分たちの立場が危うくなるじゃないですか。そんなリスクと隣り合わせなので、どこかで制限をしないと簡単に乗り換えられちゃうわけですから。

成毛　なるほど。

ひろ　同じプラットフォームでも、アップルのｉＯＳやグーグルのアンドロイドは、サードパーティがいくら頑張っても超えられないＯＳの壁がありますよね。ＯＳをサードパーティが食ってしまうようなことってめったにないので。その点でメタ社はＧＡＦＡの中でも圧倒的な強さがない。ＯＳを握ってないのはつらいですよね。

成毛　あるいは、メタ社はプラットフォーマーとしての意識がないのかも……。

ひろ　ビル・ゲイツって自分でプログラムを書けますけど、途中で「自分は世界のトップではない」と気づいてプログラムから手を引いたじゃないですか。メタ社のマーク・ザッカーバーグは、それがまだないのかもしれないです。

成毛　そうでしょうね。ＧＡＦＡの経営者の中でザッカーバーグだけが、ちょっと異質な感じはしますよ。

ひろ　僕は「プログラムがわかっていてもプログラムを書かない経営者のほうが、優秀なエンジニアがたくさん集まる説」を唱えているんですが、それは本当かもしれませんね（笑）。

成毛　まさに（笑）。一方で、LINEはうまいことやっていますよね。スタンプを売ることでエコノミーが成立しているし、コロナワクチンの予約アプリもガンガンやっていたじゃないですか。本来ならフェイスブックと競合してもっと早く消えてもおかしくない存在でしたが、これからまじめにやれば欧米でもはやると思いますよ。

デジタル通貨が流通するかは「覚悟」の問題

話題は「NFT」から、日本銀行の「デジタル円」へと。仮想通貨の今後はどうなるのか?

成毛　NFTがすっかりバズワードになりましたね。ひろゆきさんはこの状況をどう見ますか?

ひろ　NFTって、アートが注目されていますけど、本質的には仮想通貨と一緒だと思うんですよ。仮想通貨って基本的には後ろ盾がないけれど、みんなが「価値がある」と思って買ったり売ったりしている。NFTも「権利が手に入る」と思っている人たちが大金を出して買っているだけ。実は、ほとんどのNFTって「◯◯というタイトルの画像を購入したと言っている人は西村博之さんですよ」という記録があるだけなんです。その記録に数百万円とか出す人がいますけど、著作権が譲渡されているわけではないですからね。

成毛　これから値上がりしそうだから買うという人も多いし、仮想通貨と同じですよね。

ひろ　システム的には仮想通貨そのものです。仮想通貨も単なる電子上のデータですから。「この1ビットコインのオーナーはあなたですよ」という表示を200万円とかで買う人がいる。はっきりとした価値のないものにお金を払っているという意味では、NFTも仮想通貨も同じだと思いますね。

成毛　でもそれって、国が発行している通貨も同じですよね。紙幣そのものにはなんの価値もないにもかかわらず、なぜかみんなが「この紙には価値がある」と思い込んでいる。よく「国が保証している」と言う人がいるけど、金本位制が終わった時点でなんの保証もなくなったんじゃないですか。価値があるとしたら、ほかの通貨と交換できることくらい。でも、ほかの通貨と交換できるのは、仮想通貨も同じですよ。だから一般の通貨と仮想通貨とでは、あまり変わらない気がします。

ひろ　うーん。ニセ札が出たときにニセ物を本気で排除しようとする組織がいるかどうかっていう違いはありますよね。

成毛　なるほど！　ニセ仮想通貨問題か！

ひろ　日本円のニセ札を作った場合、日本政府がめっちゃ逮捕しようとしますよね。でも仮想通貨の場合は誰が捕まえるのか。ニセ仮想通貨は、作った者勝ちの世界です。そんなことは現実的には難しいといわれたんですが、モナコインという通貨が「51％アタック」という不正操作の攻撃を受けてニセ物が作られてしまった。あの犯人はまだ捕まってないはずです。

成毛　そりゃそうですよ。捕まえるための準拠法がないんだから。

ひろ　そもそもニセの仮想通貨を作ることを罪に問うということができるんですかね。仮想通貨には実体がないわけですから。「仮想通貨の実体はなんなのか」を法律で定義する場合「それは日本国に所属する物理的な存在なのか」ということになっちゃうと思います。

成毛　かつ、犯罪はサイバー空間で起こるので「日本の法律の管轄権があるかないか」も関わってきそうですね。

ひろ　仮想通貨って概念ですからね。概念に対する訴訟ってかなり難しい。

成毛　ただ昨今の盛り上がりを見ていると、仮想通貨に参加する人たちの数が閾値《いきち》（変化をもたらす最小の値）を超えた感じがします。

ひろ　そうだと思いますね。例えば、経済的に不安定な国の法定通貨よりもビットコインのほうが安全という流れにはなっている。中米のエルサルバドルは、ビットコインが法定通貨になってますし。

成毛　通貨の信用度とは要するに「交換可能性が高いかどうか」ということですよね。その交換が担保されるためには、交換を希望する人がある程度いることが大前提。そして、交換手段としてネット上で完結するのも大事ですよね。で、グローバル規模で見たときに、一部の仮想通貨やNFTはその閾値を超えたと思います。

ひろ　んで、この経済圏は今後も大きくなるでしょうね。少し前に18歳以下への給付金をクーポンにすると予算がめっちゃかかるって話題になりましたけど、あれって印刷や輸送のコストがバカにならないからなんです。でも、仮想通貨って基本的にはサーバーを建てればよくて、エンジニアの人件費を考えなければ数万円以下で作れてしまう。だから「クーポンとか地域振興券的なやつは電子通貨にしたほうがいいんじゃね？」みたいな意見が増えてくるかもです。

成毛 今後は、現金よりも仮想通貨の供給量のほうが増えていくでしょうね。

ひろ 一方で、実態としてはでかい額の仮想通貨って、ドルとかの現金に換えるのがけっこう難しいんですよ。

成毛 というと？

ひろ 「僕の持っている1000万円分の仮想通貨を今すぐ買ってください」といって、買ってくれる人を見つけるのは難易度が高い。1回100万円単位ぐらいじゃないと売れないみたいです。

成毛 そうか、株や為替のように簡単に買う人が見つからないのか。

ひろ とはいえ、仮想通貨って海外の銀行に送金しようとするときには便利ですよね。例えば1億円送るときに1％の手数料を取られたら、それだけで100万円減ってしまう。なので、仮想通貨に換えたほうが安く済むみたいなケースがある。そういうのがどんどん増えていくと1000万円くらいの売買がある仮想通貨の市場がどんどんできて、もっと楽にお金のやりとりができると思います。

成毛　しかも、これからCBDCが出てくるじゃないですか？

ひろ　CBDC？

成毛　中央銀行デジタル通貨です。欧米と比べても、日本銀行の取り組みや研究は進んでいるみたいですよ。

ひろ　いわゆる「デジタル円」ってやつですね。でも、取り組みや研究がいくら進んでも、最終的には覚悟の問題になりそうな気がします。というのも、デジタルなのでどうしても「データが消えたらどうなるの？」という不安があるじゃないですか。安全性を100パーセント保証することは不可能です。モナコインもそうですけど、アホみたいにデカいマイニングパワーを持ったプレイヤーが出てきたら崩壊する可能性がある。

成毛　100パーセント安全という言い方は無理ですよね。それにCBDCの場合、システム障害で1時間分の取引データが消えたというだけで大問題ですよ。

ひろ　バックアップを何ヵ所かに分けていても、大震災が起きたり、すべてのバックアップを爆弾で破壊されることもありえなくはない。

成毛　確かにそうですね。

ひろ　結局、デジタル円の仕組みまできちんとわかって納得する人は少ないと思うので、総理大臣が「デジタル円は安全です！」って宣言できるかどうか。そこの覚悟を政府が持てるかどうかだと思います。

成毛　まあ、それはアメリカやヨーロッパも一緒でしょうね。

ひろ　ってな感じで、仮想通貨の今後の行方はまだまだわからないって結論になりますかね（笑）。

成毛　まあ、歴史はまだ始まったばかりですからね。ただ、今はこの10年くらいの出来事をベースに話しているけれど、これを50年単位で見たら、まったく別の風景が見えてくる可能性は大いにあるでしょうね。

世界中の投資家がアメリカ企業に投資する理由

アメリカ企業に投資する投資家が多いのはなぜか？「アメリカが強い理由」を成毛さんが解説する。

ひろ 仮想通貨の歴史はまだ始まったばかりなので、何十年先というレベルで考えると、今とはまったく違う景色が広がっているかもしれないって話をしました。

成毛 すでに一部の途上国や新興国では存在感が大きくなっていますよね。その背景には、ブートストラップ効果（靴のひもが左右交互に編み上がること）があります。例えば、中国で電気自動車が普及しているのは、家からガソリンスタンドまでが遠いから。農村ではスタンドまで平気で50㎞離れていたりするので、ガソリンを入れに行くだけでも大変。でも電気なら家で充電できる。だから電気自動車が一気に広まった。それで日本などの先進国を追い抜いて先端を走っている。同じように仮想通貨も、途上国や新興国でブートストラップが起きるかもしれない。

ひろ　リープフロッグ（一足跳び）現象ともいわれたりしますよね。中国でビットコインが盛んだったのは、中国国内に資産を持つことがリスクになるからです。政府の意向で個人資産がどうなるかわからない国ですから。

成毛　政府への不信感という意味では、トルコもそうですよ。先日、トルコの通貨であるトルコリラが急落しましたよね。あれはエルドアン大統領が、インフレになったのに利下げをするというヘンテコな政策をやったから。それでトルコ人は、トルコリラより仮想通貨を持っていたほうがいいんじゃないかと思い始めてますよ。

ひろ　まあ、インフレで困っている国は自国通貨ではなくて、仮想通貨を法定通貨にしたほうがインフレを抑えられるでしょうからね。

成毛　そうですね。

ひろ　エルサルバドルでは実際にビットコインが法定通貨になっているように、仮想通貨の信用度が年々上がっている気がします。また、法定通貨にしていなくても、ビットコインのほうが圧倒的に安心できるという小国はたくさんありますし。

成毛　仮想通貨でいえば、メタ（旧：フェイスブック）社が、「ディエム（旧：リブラ）」を発表してましたよね。

ひろ　ああ、あれって結局どうなっちゃったんですか？

成毛　なんか、しぼんじゃってますよね。ただ、メタバース内で活用することは考えられます。メタバースで商品を売るときに、アマゾンに対抗するにはディエム経済圏をつくるしかないですから。

ひろ　ただ、その構想を実現しようとすると、各国の法律の問題が出てきますよね。メタ社は「今後は各国の通貨は使えません。代わりにディエムにします」と、今まで受け取っていた円やドルを全部ディエムに換えようとする。でも、それって国によっては違法になるんじゃないかと。日本でも資金決済法に引っかかったりすると思うんですよ。

成毛　なるほど。

ひろ　しかも、サービスを展開するすべての国の法律に対応しないといけない。

成毛　とはいえ、GAFAMに共通しているのは「成功するまでやり続ける」ことですよね。なので「ディエムはメタバースの中だけの通貨です」と言いながら、ユーザーが自主的に交換できる立てつけにするとかいろんなことを考えているんじゃないですかね。

ひろ あるいは、ディエムをメタ社が発行するのではなく、別の団体が作った仮想通貨にする形ならありえるかもです。例えば、ビックカメラではビットコインで決済できる。そんな感じでメタバース内でディエムの決済ができるようにする。んで、これはメタ社が運営している通貨ではないので、各国の法律を気にしなくてよくなる。

成毛 その案に乗った！（笑）

編集 と盛り上がったところで恐縮ですが、たった今、メタ社が自社での仮想通貨の発行を断念するというニュースが入ってきました。（＊この回の対談収録は2022年1月31日でした）

ひろ うはは。でも、さっき成毛さんが言った「成功するまでやり続ける」という前提でいけば、世界中の投資家からお金が集まってきますよね。仮想通貨で取引をして、各国の通貨を無視するというぶっ飛んだ構想も、成功するまでみんなが投資し続ける気がします。アメリカの会社って無限にお金が湧いてくる強みがありますから。

成毛　アメリカの会社が強い理由のひとつは「英語だから」だと思います。英語で書かれた会社の情報が世界中に流れていて、英語を読める人たちは世界に20億人ぐらいはいますから。

ひろ　でも、イギリスも英語を使うじゃないですか。アメリカが強くて、イギリスが弱いのはなんでですかね。

成毛　理由はいろいろあると思いますが、イギリスはドルでもユーロでもなく、ポンド圏じゃないですか。あれがけっこう痛いんじゃないですかね。為替の差損とかも起こるでしょうし。

ひろ　ですね。例えばドルベースで6％成長しても、為替で10％損をしたら意味がない。あと、イギリス政府の影響を受けそうだからっていう理由もありそう。

成毛　反対にドルは経済圏がでかすぎて、アメリカ政府が何かやってもそこまで動かないですからね。例えば、アメリカのFRB（米連邦準備制度理事会）が利上げを示唆したことで、結果的に新興国の通貨がめちゃめちゃ売られましたが、ほかの通貨が痛い思いをするだけでドルにはあまり影響ないんですよね。ドルと比べると、ポンドや円はやはり小さい。イギリスを例にしましたけど、英語を使うカナダやオーストラリアも同じですね。

ひろ　確かに……。しかも、カナダはアメリカの隣に位置しているのに。ってことは、カナダはカナダドルを諦めて、アメリカドルにすれば経済は大きくなるんですかね。んで、「カナダのほうが土地も安いですよ。規制も少ないですよ」ってアピールする。

成毛　あとは「トランプもいないです」も追加で（笑）。

ひろ　ちなみに、ハリウッド映画の製作ってカナダやニュージーランドでけっこう行なわれているんですよ。理由は、アメリカは規制が厳しいから。なので、北米で規制を緩くしてドルベースにすれば、カナダにもチャンスがあるかもです。

成毛　ということは、カナダやオーストラリア、ニュージーランドがこれから狙い目ですね。

ひろ　オーストラリアは物価が高いし、給料も高いし、割と経済がちゃんと回っていますよね。

成毛　あと人種偏見も少ないじゃないですか。

ひろ　もともと移民の国ですからね。というわけで、仮想通貨の話からまたもや脱線しちゃいました（笑）。まとめると、やっぱりドルベースのアメリカの会社に投資するのは妥当。アメリカは共通言語である英語を使い、基軸通貨として世界中にドルが出回っている。これによってアメリカに優秀な会社も集まり、優秀な学生が集まり、無限にお金が集まる構造になっている。そうするとやっぱりアメリカには勝てないってことですね。

成毛　ですね。彼らが負ける理由がないですよ。

合理性と好奇心を併せもつ

―「あとがき」にかえて―

編集　最後に、もし、おふたりが今、35歳の普通のサラリーマンだったら、これから何をしますか？

ひろ　もし、僕が35歳でそれなりの会社に入っているのなら、まずお金をためて友人と一緒に、友人の名義で副業をやるんじゃないですかね。それで、そっちの事業がうまくいったら移るという卑怯《ひきょう》なことをすると思います（笑）。

成毛　僕もそうすると思いますね（笑）。

ひろ　で、独立するときも自分がいた会社から仕事をもらうほうが楽なので、上司が独立をオーケーしてくれたら独立するけれども、ダメだと言われたら独立しない。安定を取ります。

編集　保険をかけながら、新しい仕事を始める感じですかね。

ひろ　だって、リスクを負う必要はないじゃないですか。チャンスだけを追うほうが合理的です。友人との会社には株主として入っていればいいわけですから。

成毛　僕も同じですね。とりあえず、目についたものをアマゾンで売るとか、そんなことから始めると思います。この対談で出てきた木彫りの熊の置物をフランス人に売るとかね。

日本人がダメなのは「何か物を作って売る」ことを重視しすぎる一方で、ブローカーみたいな、仲介する仕事を蔑《さげす》む傾向が強いじゃないですか。でも、元手が少なくて一番楽に稼げるのはブローカーなんです。それでお金がたまったら、好きな物を作って売ればいいじゃないですか。脱サラしてラーメン屋さんとかをやるよりもリスクは少ないし、全然、合理的ですよ。

ビル・ゲイツが成功した理由は「まず、売り上げをつくる」ことを重要視したからなんです。だって、売り上げがない限り、会社としては成立しないから。だから、「どんな会社にしたいか」といったビジョンを持つことよりも先に、「まず、何かを売ってカネを作れ」ということです。

編集　とことん合理的ですね。本書のまえがきにも「合理的に生きる」というフレーズがありますが。

成毛　そうですね。僕は合理性の塊だから。「一度でも合理性を欠いたら人生が終わる」くらいに思っている。

ひろ　確かに、その恐怖はありますよね。

成毛　だから、徹底的に合理的に考える。

ひろ　一度でも踏み外すと、判断基準を変えちゃう可能性があるからなんですよ。例えば、合理的に考えずに感情で判断すると、「道を歩いている人に1万円渡したら喜んでくれる。喜んでくれるんなら1万円渡してもいい」というルールにもなりかねない。

成毛　だから、人を助けるときも合理的じゃないといけない。

編集　ただ、おふたりとも合理的に考える一方で、好奇心の幅が異常に広いじゃないですか。この対談でも発揮されているように、自分の人生に直接は関係ないようなことにもあちこち興味を持っている。こうした好奇心と合理性は、自分の中ではどう結びついていますか。